#수학개념학습
#학습만화
#재미있는수학
#만화로개념잡는

개념클릭

Chunjae
Makes
Chunjae

▼

개념클릭

편집총괄   지유경
편집개발   정소현, 조선영, 최윤석
디자인총괄   김희정
표지디자인   윤순미, 장미
내지디자인   박희춘
제작   황성진, 조규영

발행일   2018년 11월 15일 개정초판 2023년 7월 15일 7쇄
발행인   (주)천재교육
주소   서울시 금천구 가산로9길 54
신고번호   제2001-000018호
고객센터   1577-0902

공 부 가 즐 거 워 지 는

개념
클릭

★ 해법수학 ★

6-1

구성과 특징

수학 공부를 쉽고, 재미있게 할 수 있는 교재는 없을까?

개념을 자세히 설명해 놓으면 잘 읽지 않고, 그렇다고 설명을 안 할 수도 없고…….

만화로 교과서 개념을 설명한 책은 많지만, 수박 겉핥기 식으로 넘어가기만 하니…….

개념클릭 해법수학이 탄생하게 된 배경입니다.

개념클릭 해법수학 4단계 시스템!

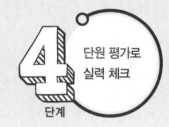

1단계 만화로 재미있게 개념 익히기

2단계 개념 집중 연습으로 개념 꽉 잡기

3단계 익힘책 문제로 실력 다지기

4단계 단원 평가로 실력 체크

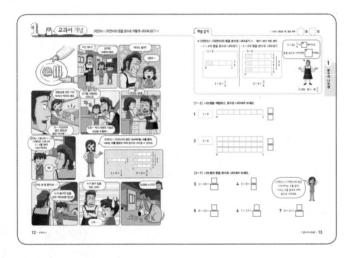

1 단계 교과서 개념

만화를 보면 개념이 저절로~
간단한 **확인 문제**로 개념을 정리하세요.

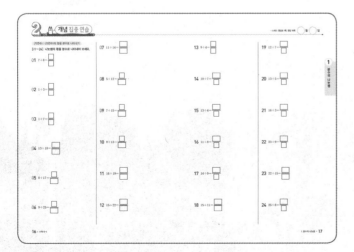

2 단계 개념 집중 연습

교과서 개념 문제를 반복하여 풀어 보면서
개념을 꽉 잡아요.

○ **Structure**

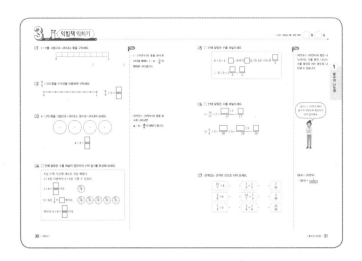

3 단계 익힘책 익히기

익힘책 문제를 풀어 보면서 **실력**을 키워요.

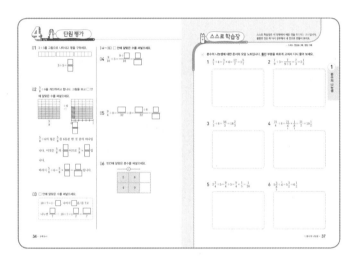

4 단계 단원 평가

한 단원을 마무리하며 스스로 **실력 체크**를 해요.

스스로 학습장

한 단원을 학습한 후 내가 무엇을 알고 무엇을
모르는지 확인하는 코너입니다.

개념클릭만의 모바일 학습

표지 QR

▶ 표지에 있는 **QR코드**를 찍으면
개념 동영상·만화를 학습할
수 있습니다.

도비라 QR

▶ 단원 시작에 있는 **QR코드**를
찍으면 각 단원의 개념 동영상
강의를 볼 수 있습니다.

차례

Contents

이 책의 **등장인물**

갈릴레오 갈릴레이

이탈리아의 천문학자, 수학자.
강의하러 가다가 낯선 미래로
오게 되었다.
미래에 잘 적응하여 지수·준수와
즐겁게 생활한다.

지수

쌍둥이 남매의 누나.
공부도 잘하고 리더십도 뛰어나다.
동생을 잘 챙기는 착한 누나이다.

준수

과학자를 꿈꾸는 어린이.
공부에는 아직 흥미가 없지만
밝고 긍정적인 성격이다.

고모

휴가를 내고 조카를 만나러 온
쌍둥이 남매의 고모.
덜렁거리는 성격에 요리 실력은
부족하지만 지혜로운 사람이다.

잘 먹었다.

꺼억

역시 할머니 음식 솜씨는 최고야.

어, 저건 뭐지?

자물쇠가 채워저 있네.

중요한 물건인가 봐. 만지지 마.

그럼 더 궁금해지는데? 비밀번호가 혹시 1111인가?

누가 그렇게 간단한 비밀번호를……

홋~ 열렸다!

휘잉~

할아버지도 참……

우와~ 이건 별을 관측할 수 있는 망원경 같아.

할아버지께 혼나기 전에 얼른 닫아.

이제 어두워졌으니 별을 한번 볼까?

누나 말 안 들을래? 빨리 넣으라고!

푸하하하하! 겨우 1분 차이로 태어났으면서 누나래!

너 정말!

우와~ 이거 내가 가지고 있는 망원경보다 훨씬 잘 보여!

진짜? 골동품 같은데……

이건 뭐지? 별을 더 가까이 관측할 수 있는 장치인가?

아무거나 만지지마!

쿠쿠쿵

헉! 지…진이다!

누…구세요?

뜨아~

팟

1

분수의 나눗셈

QR 코드를 찍으면
1단원 개념 동영상
강의를 볼 수 있어요.

📅 이번에 배울 내용

- (자연수)÷(자연수)의 몫을 분수로 나타내기
- (분수)÷(자연수) 알아보기
- (분수)÷(자연수)를 분수의 곱셈으로 나타내기
- (대분수)÷(자연수) 알아보기

오~ 이 망원경은 내가 상상하던 모습 그대로네.

와~

그럼 저게 아저씨가 만든 망원경인가?

진짜 망원경 때문에 아저씨가 온 걸까?

그러게 내가 함부로 만지지 말랬잖아!

집에 어떻게 가지?

흑 흑 흑

많이 놀라셨나봐.

그런데 내가 지금 배가 고파서……

헐~

아저씨, $\frac{5}{6} \times \frac{3}{7}$ 을 풀고 계시면 저희가 먹을 걸 찾아 볼게요.

밥이 없네?

우유밖에 없어.

분수의 곱셈은 분모는 분모끼리, 분자는 분자끼리 곱해요.

$$\frac{5}{6} \times \frac{3}{7} = \frac{15}{42} = \frac{5}{14}$$

분모와 분자를 3으로 약분합니다.

세상에 이렇게 맛있을 수가! 한 그릇 더!

짭 짭 짭

그게 전부예요.

아직 배가 고프단 말야.

홀짝 홀짝

헉! 이것은……

시리얼이 아니었어.

멍멍

강아지 사료

헉! 동구의 밥이었네!

미래의 음식은 뭔가 달라~. 더 없니?

꺼억~

하아~

준비 학습

1 분수를 약분하려고 합니다. □ 안에 알맞은 수를 써넣으세요.

(1) $\dfrac{24}{50} = \dfrac{12}{\boxed{}}$　　　(2) $\dfrac{36}{48} = \dfrac{6}{\boxed{}}$

개념 체크 **1** ◀ 5학년 1학기 4단원

약분 알아보기

• 약분: 분모와 분자를 공약수로 나누어 간단히 하는 것

예 $\dfrac{\overset{2}{\cancel{4}}}{\underset{6}{\cancel{12}}} = \dfrac{2}{6}$, $\dfrac{\overset{1}{\cancel{4}}}{\underset{3}{\cancel{12}}} = \dfrac{1}{3}$

2 분모의 최소공배수를 공통분모로 하여 통분해 보세요.

$$\left(\dfrac{7}{12}, \dfrac{5}{18} \right) \Rightarrow \left(, \right)$$

개념 체크 **2** ◀ 5학년 1학기 4단원

통분 알아보기

• 통분: 분수의 분모를 같게 하는 것

예 $\left(\dfrac{5}{6}, \dfrac{8}{15} \right) \Rightarrow \left(\dfrac{25}{30}, \dfrac{16}{30} \right)$

두 분모 6과 15의 최소공배수 30을 공통분모로 하여 통분했습니다.

3 $\dfrac{4}{9}$와 크기가 같은 분수를 모두 찾아 ○표 하세요.

| $\dfrac{12}{27}$ | $\dfrac{7}{28}$ | $\dfrac{36}{81}$ | $\dfrac{14}{56}$ | $\dfrac{28}{84}$ | $\dfrac{20}{45}$ |

개념 체크 **3** ◀ 5학년 1학기 4단원

크기가 같은 분수

• 분모와 분자에 각각 0이 아닌 같은 수를 곱하면 크기가 같은 분수가 됩니다.

• 분모와 분자를 각각 0이 아닌 같은 수로 나누면 크기가 같은 분수가 됩니다.

4 계산해 보세요.

(1) $\dfrac{5}{8} + \dfrac{7}{12}$

(2) $\dfrac{7}{12} - \dfrac{2}{9}$

개념 체크 **4** ◀ 5학년 1학기 5단원

진분수끼리의 덧셈과 뺄셈

두 분수를 통분하여 계산합니다.

예 $\dfrac{5}{7} + \dfrac{9}{14} = \dfrac{10}{14} + \dfrac{9}{14} = \dfrac{19}{14} = 1\dfrac{5}{14}$

$\dfrac{3}{4} - \dfrac{1}{3} = \dfrac{9}{12} - \dfrac{4}{12} = \dfrac{5}{12}$

5 계산해 보세요.

(1) $2\dfrac{7}{9} + 1\dfrac{3}{4}$

(2) $3\dfrac{1}{4} - 1\dfrac{3}{8}$

6 □ 안에 알맞은 수를 써넣으세요.

(1) 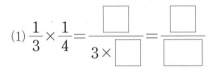 $\dfrac{1}{3} \times \dfrac{1}{4} = \dfrac{\square}{3 \times \square} = \dfrac{\square}{\square}$

(2) $\dfrac{1}{5} \times \dfrac{1}{7} = \dfrac{\square}{5 \times \square} = \dfrac{\square}{\square}$

7 계산하여 기약분수로 나타내어 보세요.

(1) $\dfrac{5}{6} \times \dfrac{7}{8}$

(2) $\dfrac{6}{7} \times \dfrac{3}{10}$

8 가로가 $5\dfrac{3}{5}$ cm, 세로가 $2\dfrac{6}{7}$ cm인 직사각형의 넓이는 몇 cm²일까요?

(   )

개념 체크 **5** ◀ 5학년 1학기 5단원

대분수끼리의 덧셈과 뺄셈

두 분수를 통분하여 계산합니다.

예 $1\dfrac{2}{3} + 1\dfrac{1}{2} = 1\dfrac{4}{6} + 1\dfrac{3}{6} = 2 + 1\dfrac{1}{6} = 3\dfrac{1}{6}$

3과 2의 최소공배수로 통분

개념 체크 **6** ◀ 5학년 2학기 2단원

단위분수끼리의 곱셈

분자는 항상 1이고 분모끼리 곱합니다.

개념 체크 **7** ◀ 5학년 2학기 2단원

진분수끼리의 곱셈

분모는 분모끼리, 분자는 분자끼리 곱합니다.

예 $\dfrac{4}{5} \times \dfrac{3}{7} = \dfrac{12}{35}$ ← 4×3=12
← 5×7=35

개념 체크 **8** ◀ 5학년 2학기 2단원

대분수끼리의 곱셈

대분수끼리의 곱셈은 대분수를 반드시 가분수로 고친 다음 계산합니다.

1

분수의 나눗셈

이건 뭐니?

감자랑 가래떡이에요.

먹어도 될까?

그럼요~.

냉동실에 있던 거라 녹여서 먹어야 해요.

오~ 이상하게 생긴 화로군! 불은 어디에……

이건 불이 아닌 전기를 사용하는 거라고요.

우웅

오호~ 역시 미래의 기술은 상상을 초월해~.

음~ 맛있는 냄새!

킁 킁 킁

감자는 1개니까 1÷4, 가래떡은 3개니까 3÷4를 해서 나눠 먹어요.

왜?

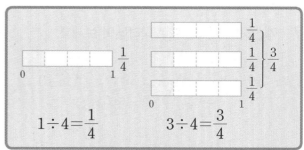

(자연수)÷(자연수)의 몫은 **나누어지는 수를 분자**, **나누는 수를 분모**로 하여 분수로 나타낼 수 있어요.

$$1 \div 4 = \frac{1}{4}$$

$$3 \div 4 = \frac{3}{4}$$

우린 세 명 뿐인데……

누가 동구의 밥을 모두 먹어버렸거든요!

누가 동구 밥을 먹은 거야?

그게……

도대체 누구지?

크르릉

◎ (자연수)÷(자연수)의 몫을 분수로 나타내기 (1) ─몫이 1보다 작은 경우─

• 1÷4의 몫을 분수로 나타내기

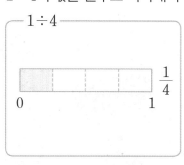

$$1 \div 4 = \frac{1}{4}$$

• 3÷4의 몫을 분수로 나타내기

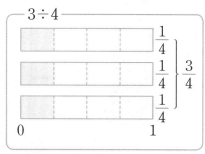

$$3 \div 4 = \frac{3}{4}$$

$3 \div 4$는 $\frac{1}{4}$이 ❶ ☐ 개이므로

몫을 분수로 나타내면 ❷ ☐ 이에요.

◐ 정답 ❶ 3 ❷ $\frac{3}{4}$

[1~2] 나눗셈을 색칠하고, 분수로 나타내어 보세요.

1 $1 \div 8$

$\frac{\square}{\square}$

2 $3 \div 8$

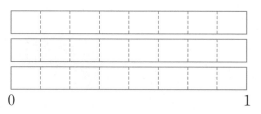

$\frac{\square}{\square}$

[3~7] 나눗셈의 몫을 분수로 나타내어 보세요.

3 $1 \div 10 = \dfrac{\square}{\square}$

4 $2 \div 9 = \dfrac{\square}{\square}$

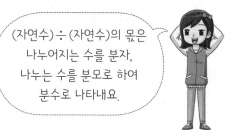

(자연수)÷(자연수)의 몫은
나누어지는 수를 분자,
나누는 수를 분모로 하여
분수로 나타내요.

5 $8 \div 15 = \dfrac{\square}{\square}$

6 $7 \div 12 = \dfrac{\square}{\square}$

7 $6 \div 11 = \dfrac{\square}{\square}$

얘들아!

할아버지, 할머니, 다녀오셨어요.

꾸벅

안녕하십니까?

뉘신지……

이 분은 과거에서 온 갈릴레오 아저씨예요.

에헴

세상에 이럴 수개!

이렇게 반갑게 맞아주시다니!

누가 내 보물에 손을 댄 거냐?

내가 아니었어……

그런데 갈릴레오라고?

잠시 후

어떻게 세상에 그런 일이……

저희도 놀랐어요.

골동품 가게 주인이 갈릴레오의 망원경이라고 하긴 했지만 그게 사실일 줄은……

이거 먹으면서 이야기하렴.

7개를 세 명이 똑같이 나누어 먹으려면 몇 개씩 먹어야 하지?

$7 \div 3 = \dfrac{7}{3}$ 이므로 한 명이 $\dfrac{7}{3}$ 개씩 먹으면 돼요.

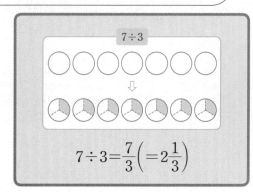

$7 \div 3$

$7 \div 3 = \dfrac{7}{3} \left(= 2\dfrac{1}{3} \right)$

다 먹고 세 개만 남겨놓으면 어떻게 해요?

쩝 쩝

이제 계산하기 쉽지?

◎ (자연수)÷(자연수)의 몫을 분수로 나타내기 (2) ―몫이 1보다 큰 경우―

• 7÷3의 몫을 분수로 나타내기

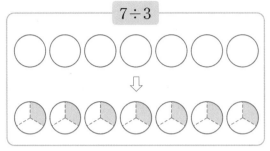

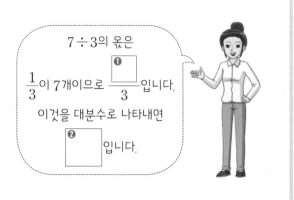

7÷3의 몫은

$\frac{1}{3}$이 7개이므로 $\frac{\boxed{①}}{3}$입니다.

이것을 대분수로 나타내면

$\boxed{②}$입니다.

$$7 \div 3 = \frac{7}{3}\left(=2\frac{1}{3}\right)$$

◯ 정답 ❶ 7 ❷ $2\frac{1}{3}$

1 분수의 나눗셈

[1~2] 그림을 보고 나눗셈의 몫을 분수로 나타내어 보세요.

1

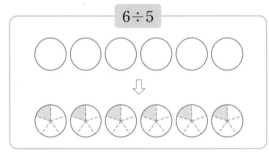

6÷5

$$6 \div 5 = \frac{\boxed{}}{\boxed{}}$$

2

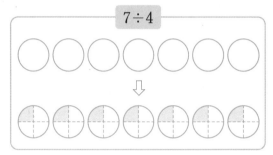

7÷4

$$7 \div 4 = \frac{\boxed{}}{\boxed{}}$$

[3~8] 나눗셈의 몫을 분수로 나타내어 보세요.

3 $8 \div 5 = \dfrac{\boxed{}}{\boxed{}}$

4 $7 \div 2 = \dfrac{\boxed{}}{\boxed{}}$

5 $9 \div 2 = \dfrac{\boxed{}}{\boxed{}}$

6 $13 \div 9 = \dfrac{\boxed{}}{\boxed{}}$

7 $12 \div 5 = \dfrac{\boxed{}}{\boxed{}}$

8 $15 \div 11 = \dfrac{\boxed{}}{\boxed{}}$

(자연수)÷(자연수)의 몫을 분수로 나타내기

[01~24] 나눗셈의 몫을 분수로 나타내어 보세요.

01 $7 \div 8 = \dfrac{\square}{\square}$

02 $1 \div 3 = \dfrac{\square}{\square}$

03 $1 \div 7 = \dfrac{\square}{\square}$

04 $13 \div 18 = \dfrac{\square}{\square}$

05 $8 \div 17 = \dfrac{\square}{\square}$

06 $9 \div 25 = \dfrac{\square}{\square}$

07 $11 \div 14 = \dfrac{\square}{\square}$

08 $5 \div 12 = \dfrac{\square}{\square}$

09 $7 \div 15 = \dfrac{\square}{\square}$

10 $8 \div 13 = \dfrac{\square}{\square}$

11 $16 \div 19 = \dfrac{\square}{\square}$

12 $15 \div 22 = \dfrac{\square}{\square}$

(자연수)÷(자연수)의 몫을 분수로 나타내기

13 $9 \div 4 = \dfrac{\square}{\square}$

14 $10 \div 7 = \dfrac{\square}{\square}$

15 $13 \div 4 = \dfrac{\square}{\square}$

16 $11 \div 8 = \dfrac{\square}{\square}$

17 $14 \div 9 = \dfrac{\square}{\square}$

18 $15 \div 11 = \dfrac{\square}{\square}$

19 $12 \div 7 = \dfrac{\square}{\square}$

20 $13 \div 5 = \dfrac{\square}{\square}$

21 $16 \div 3 = \dfrac{\square}{\square}$

22 $23 \div 9 = \dfrac{\square}{\square}$

23 $22 \div 15 = \dfrac{\square}{\square}$

24 $25 \div 8 = \dfrac{\square}{\square}$

교과서 개념

(분수)÷(자연수)는 어떻게 계산하나요?

$\dfrac{8}{9}$ L를 똑같이 2잔으로 나누면 $\dfrac{8}{9}÷2=\dfrac{4}{9}$ (L)이므로 할아버지랑 저랑 $\dfrac{4}{9}$ L씩 마시면 돼요.

$$\frac{8}{9}÷2=\frac{8÷2}{9}=\frac{4}{9}$$

(분수)÷(자연수)에서 분자가 자연수의 배수일 때에는 분자를 자연수로 나눕니다.

◎ (분수)÷(자연수) 알아보기

• $\frac{8}{9} \div 2$를 계산하기

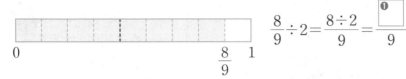

$$\frac{8}{9} \div 2 = \frac{8 \div 2}{9} = \frac{❶}{9}$$

• $\frac{3}{4} \div 2$를 계산하기

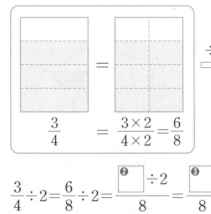

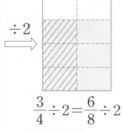

$$\frac{3}{4} = \frac{3 \times 2}{4 \times 2} = \frac{6}{8} \qquad \frac{3}{4} \div 2 = \frac{6}{8} \div 2$$

$\frac{3}{4}$의 분자 3은 2로 나누어떨어지지 않으니까 분자가 2로 나누어떨어지도록 크기가 같은 분수로 바꿔요.

$$\frac{3}{4} \div 2 = \frac{6}{8} \div 2 = \frac{❷ \div 2}{8} = \frac{❸}{8}$$

○ 정답 ❶ 4 ❷ 6 ❸ 3

1

분수의 나눗셈

[1~3] □ 안에 알맞은 수를 써넣으세요.

1 $\frac{4}{9} \div 2 = \dfrac{\square \div \square}{9} = \square$

(분수)÷(자연수)에서 분자가 자연수의 배수일 때에는 분자를 자연수로 나눠요.

2 $\frac{9}{10} \div 3 = \dfrac{\square \div \square}{10} = \square$

3 $\frac{3}{7} \div 4 = \dfrac{\square}{28} \div 4 = \dfrac{\square \div \square}{28} = \dfrac{\square}{28}$

[4~6] 계산하여 기약분수로 나타내어 보세요.

4 $\frac{6}{11} \div 3$

5 $\frac{5}{9} \div 3$

6 $\frac{3}{8} \div 5$

준수야~ 할아버지가 우물에 앉으셨어. 왜지?

사실 그건 우물이 아니라 변기예요.

내가 변기의 물로 세수를!

괜찮으세요?

할머니가 뭘 만드시나봐요.

그러게. 맛있는 냄새가 나네.

오~ 아침을 준비하고 계셨군요.

아니, 동구의 사료가 모두 떨어져서 동구 밥을 끓이고 있어요.

쩝, 그렇군요.

죽 $\frac{4}{5}$ kg을 그릇 세 개에 똑같이 나누어 담아야 하는데……

제가 도와 드릴게요!

$\frac{4}{5} \div 3 = \frac{4}{5} \times \frac{1}{3} = \frac{4}{15}$ 이므로

한 그릇에 $\frac{4}{15}$ kg씩 담으면 돼요.

$$\frac{4}{5} \div 3 = \frac{4}{5} \times \frac{1}{3} = \frac{4}{15}$$

÷3을 $\times \frac{1}{3}$ 로 바꾸어 계산합니다.

자, 그럼 제대로 나눠 볼까?

잠깐!

창고에서 동구의 사료를 하나 발견했소. 죽 다 먹으면 이거 먹읍시다.

네~

윽~ 내가 먹은 게 시리얼이 아니었어!

강아지 사료

?!

거기 서! 나에게 동구의 사료를 먹이다니!

저도 처음엔 몰랐어요!

◎ (분수)÷(자연수)를 분수의 곱셈으로 나타내어 계산하기

• $\frac{4}{5} \div 3$을 분수의 곱셈으로 나타내어 계산하기

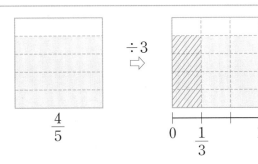

÷3
⇨

$\frac{4}{5}$

0    $\frac{1}{3}$ 1

(직사각형의 넓이)
=(가로)×(세로)

$\frac{4}{5} \div 3$의 몫은 $\frac{4}{5}$를 3등분 한 것 중의 하나입니다.

이것은 $\frac{4}{5}$의 $\frac{1}{3}$이므로 $\frac{4}{5} \times \frac{1}{3}$입니다.

$$\frac{4}{5} \div 3 = \frac{4}{5} \times \frac{1}{\boxed{❶}} = \frac{\boxed{❷}}{\boxed{❸}}$$

◯ 정답 ❶ 3 ❷ 4 ❸ 15

1

분수의 나눗셈

[1~4] □ 안에 알맞은 수를 써넣으세요.

1 $\dfrac{2}{3} \div 5 = \dfrac{2}{3} \times \dfrac{\boxed{}}{\boxed{}} = \dfrac{\boxed{}}{\boxed{}}$

2 $\dfrac{11}{12} \div 3 = \dfrac{11}{12} \times \dfrac{\boxed{}}{\boxed{}} = \dfrac{\boxed{}}{\boxed{}}$

3 $\dfrac{5}{6} \div 9 = \dfrac{5}{6} \times \dfrac{\boxed{}}{\boxed{}} = \dfrac{\boxed{}}{\boxed{}}$

4 $\dfrac{8}{9} \div 7 = \dfrac{8}{9} \times \dfrac{\boxed{}}{\boxed{}} = \dfrac{\boxed{}}{\boxed{}}$

[5~7] 나눗셈을 곱셈으로 나타내어 계산해 보세요.

5 $\dfrac{4}{7} \div 5$

6 $\dfrac{3}{4} \div 7$

7 $\dfrac{5}{8} \div 6$

(분수)÷(자연수) 알아보기

[01~10] □ 안에 알맞은 수를 써넣으세요.

01 $\dfrac{15}{16} \div 3 = \dfrac{15 \div \boxed{}}{16} = \boxed{}$

02 $\dfrac{12}{13} \div 4 = \dfrac{12 \div \boxed{}}{13} = \boxed{}$

03 $\dfrac{8}{9} \div 4 = \dfrac{8 \div \boxed{}}{9} = \boxed{}$

04 $\dfrac{9}{11} \div 3 = \dfrac{9 \div \boxed{}}{11} = \boxed{}$

05 $\dfrac{10}{13} \div 2 = \dfrac{10 \div \boxed{}}{13} = \boxed{}$

06 $\dfrac{3}{5} \div 4 = \dfrac{3 \times \boxed{}}{5 \times 4} \div 4 = \dfrac{\boxed{} \div 4}{20} = \boxed{}$

07 $\dfrac{8}{9} \div 3 = \dfrac{8 \times \boxed{}}{9 \times 3} \div 3 = \dfrac{\boxed{} \div 3}{27} = \boxed{}$

08 $\dfrac{7}{11} \div 2 = \dfrac{7 \times \boxed{}}{11 \times 2} \div 2 = \dfrac{\boxed{} \div 2}{22} = \boxed{}$

09 $\dfrac{7}{8} \div 5 = \dfrac{7 \times \boxed{}}{8 \times 5} \div 5 = \dfrac{\boxed{} \div 5}{40} = \boxed{}$

10 $\dfrac{4}{9} \div 7 = \dfrac{4 \times \boxed{}}{9 \times 7} \div 7 = \dfrac{\boxed{} \div 7}{63} = \boxed{}$

(분수)÷(자연수)를 분수의 곱셈으로 나타내어 계산하기

[11~15] □ 안에 알맞은 수를 써넣으세요.

11 $\dfrac{4}{5} \div 3 = \dfrac{4}{5} \times \dfrac{1}{\boxed{}} = \boxed{}$

12 $\dfrac{5}{9} \div 2 = \dfrac{5}{9} \times \dfrac{1}{\boxed{}} = \boxed{}$

13 $\dfrac{9}{14} \div 5 = \dfrac{9}{14} \times \boxed{} = \boxed{}$

14 $\dfrac{7}{11} \div 3 = \dfrac{7}{11} \times \boxed{} = \boxed{}$

15 $\dfrac{7}{9} \div 8 = \dfrac{7}{9} \times \boxed{} = \boxed{}$

[16~20] 계산하여 기약분수로 나타내어 보세요.

16 $\dfrac{2}{3} \div 4$

17 $\dfrac{5}{7} \div 10$

18 $\dfrac{14}{15} \div 21$

19 $\dfrac{3}{8} \div 12$

20 $\dfrac{5}{12} \div 8$

1 분수의 나눗셈

1 단계 교과서 개념

(가분수)÷(자연수)는 어떻게 계산하나요?

거기 서!

헉! 저 녀석은 어떻게 건넜지?

잡아 봐요~. 메롱!

하하

이 녀석!

다리의 길이가 $\frac{9}{4}$ m네. 세 번에 나누어 건너야겠어.

통나무 다리의 길이는 $\frac{9}{4}$ m

$\frac{9}{4} \div 3$을 계산하면 한 번에 뛰는 거리를 알 수 있겠군.

$$\frac{9}{4} \div 3 = \frac{9 \div 3}{4} = \frac{3}{4}$$

분자가 자연수로 나누어떨어질 때에는 분자만 나누어 계산합니다.

그렇다면 한 번에 $\frac{3}{4}$ m씩 가면 되겠군!

하하하

탁

탁

미끄덩

살려줘!

어푸

어푸

하하하~ 물 깊이가 무릎밖에 안 되는데…….

휴우~ 정말이네?

으~

캬캬캬

◎ (가분수)÷(자연수) 알아보기

• $\frac{9}{4} \div 3$을 계산하기

분자가 자연수로 나누어떨어질 때에는 분자만 나누어 계산해요.

방법 1 분자를 자연수로 나누어 계산하기

$$\frac{9}{4} \div 3 = \frac{9 \div 3}{4} = \frac{\boxed{❶}}{4}$$

→ $\frac{9}{4}$는 $\frac{1}{4}$이 9개이므로 9를 3으로 나누어 계산해요.

방법 2 나눗셈을 곱셈으로 나타내어 계산하기

$$\frac{9}{4} \div 3 = \frac{9}{4} \times \frac{1}{\boxed{❷}} = \frac{9}{\boxed{❸}} \left(= \frac{3}{4}\right)$$

→ $\frac{9}{4} \div 3$은 $\frac{9}{4}$의 $\frac{1}{3}$이므로 $\frac{9}{4} \times \frac{1}{3}$로 나타내어 계산해요.

➡ 정답 ❶ 3 ❷ 3 ❸ 12

1 분수의 나눗셈

[1~2] □ 안에 알맞은 수를 써넣으세요.

1 (1) $\frac{9}{5} \div 3 = \frac{9 \div \boxed{}}{5} = \frac{\boxed{}}{5}$

(2) $\frac{9}{5} \div 3 = \frac{9}{5} \times \frac{1}{\boxed{}} = \frac{9}{\boxed{}} = \boxed{}$

기약분수로 쓰세요.

2 (1) $\frac{15}{4} \div 5 = \frac{15 \div \boxed{}}{4} = \frac{\boxed{}}{4}$

(2) $\frac{15}{4} \div 5 = \frac{15}{4} \times \frac{1}{\boxed{}} = \frac{15}{\boxed{}} = \boxed{}$

기약분수로 쓰세요.

[3~6] 계산해 보세요.

3 $\frac{9}{5} \div 2$

4 $\frac{8}{7} \div 9$

5 $\frac{5}{4} \div 3$

6 $\frac{17}{12} \div 4$

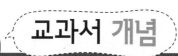

어른을 놀리다니!

장난만 치지 말고 이제부터 수학을 열심히 하면 제자로 받아주지.

갈릴레오의 제자윗!

네, 좋아요!

예~

그럼 $2\frac{1}{3} \div 4$를 계산해 봐.

스윽

헉!

휘

잉

모르겠어요.

이것도 못 푸는 거냐?

딱

컥

잠깐만요!

어떻게 계산 하는지 알려주셔야죠.

$2\frac{1}{3} \div 4 =$

제자를 가르치는 일이 이렇게 힘들다니!

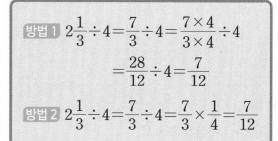

$2\frac{1}{3}$을 먼저 가분수로 고치고 다음과 같이 계산하면 된단다.

방법 1 $2\frac{1}{3} \div 4 = \frac{7}{3} \div 4 = \frac{7 \times 4}{3 \times 4} \div 4$

$= \frac{28}{12} \div 4 = \frac{7}{12}$

방법 2 $2\frac{1}{3} \div 4 = \frac{7}{3} \div 4 = \frac{7}{3} \times \frac{1}{4} = \frac{7}{12}$

내가 말하려고 했는데 미리 말하면 어떻게 해요?

네 눈빛은 전혀 그렇지 않아 보이던데?

안 되겠어. 제자 탈락!

이런 법이 어디 있어요!

가자, 집에 내가 갈아 입을 만한 옷이 있을까?

투덜

투덜

완전 속았어.

◎ (대분수)÷(자연수) 알아보기

• $2\frac{1}{3} \div 4$를 계산하기

방법 1 분수의 분자를 4의 배수로 바꾸어 계산하기

$$2\frac{1}{3} \div 4 = \frac{\boxed{❶}}{3} \div 4 = \frac{7 \times 4}{3 \times 4} \div 4 = \frac{28}{12} \div 4 = \frac{7}{12}$$

방법 2 나눗셈을 곱셈으로 나타내어 계산하기

$$2\frac{1}{3} \div 4 = \frac{7}{3} \div 4 = \frac{7}{3} \times \frac{1}{\boxed{❷}} = \frac{7}{12}$$

가장 먼저 대분수를 가분수로 고쳐야 해요.

◯ 정답 ❶ 7 ❷ 4

1

분수의 나눗셈

[1~2] **보기** 와 같이 분자만 나누어 계산해 보세요.

보기

$$4\frac{1}{2} \div 3 = \frac{9}{2} \div 3 = \frac{9 \div 3}{2} = \frac{3}{2}$$

1 $2\frac{2}{3} \div 4$

2 $3\frac{3}{5} \div 6$

[3~4] 나눗셈을 하려고 합니다. □ 안에 알맞은 수를 써넣으세요.

3 $2\frac{1}{4} \div 5 = \frac{\boxed{}}{4} \times \frac{\boxed{}}{\boxed{}} = \frac{\boxed{}}{\boxed{}}$

4 $2\frac{1}{6} \div 8 = \frac{\boxed{}}{6} \times \frac{\boxed{}}{\boxed{}} = \frac{\boxed{}}{\boxed{}}$

[5~8] 계산하여 기약분수로 나타내어 보세요.

5 $3\frac{3}{7} \div 8$

6 $5\frac{5}{6} \div 14$

계산 과정에서 약분하거나 계산 후에 약분하면 돼요.

7 $6\frac{7}{8} \div 11$

8 $9\frac{7}{9} \div 12$

2단계

(가분수)÷(자연수) 알아보기

[01~05] 계산하여 기약분수로 나타내어 보세요.

01 $\dfrac{35}{8} \div 7$

02 $\dfrac{21}{8} \div 9$

03 $\dfrac{36}{5} \div 8$

04 $\dfrac{27}{7} \div 6$

05 $\dfrac{35}{12} \div 10$

[06~10] 빈칸에 계산 결과를 기약분수로 써넣으세요.

06
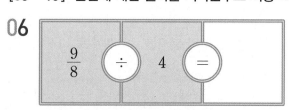

07
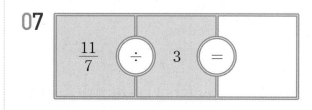

08
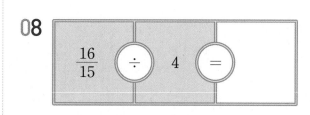

09
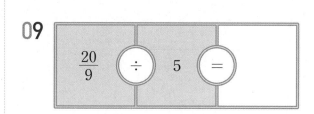

10
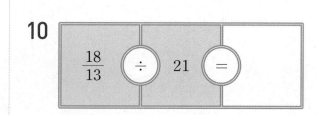

(대분수)÷(자연수) 알아보기

[11~15] 계산하여 기약분수로 나타내어 보세요.

11 $2\frac{7}{9} \div 5$

12 $2\frac{2}{3} \div 7$

13 $9\frac{3}{5} \div 8$

14 $5\frac{5}{6} \div 7$

15 $3\frac{3}{8} \div 5$

[16~20] 빈칸에 계산 결과를 기약분수로 써넣으세요.

16
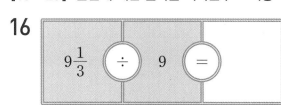

17
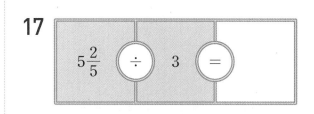

18
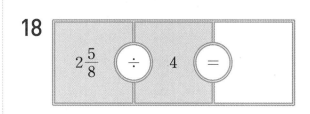

19
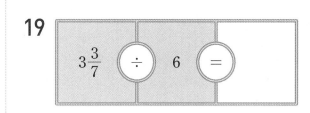

20
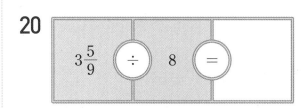

1 분수의 나눗셈

01 1÷9를 그림으로 나타내고 몫을 구하세요.

(   )

Tip

· 1÷(자연수)의 몫을 분수로 나타낼 때에는 $1÷● = \dfrac{1}{●}$의 형태로 나타냅니다.

02 $\dfrac{8}{9}÷2$의 몫을 수직선을 이용하여 구하세요.

$\dfrac{8}{9}÷2 = \dfrac{\square}{\square}$

03 4÷3의 몫을 그림으로 나타내고, 분수로 나타내어 보세요.

· (자연수)÷(자연수)의 몫을 분수로 나타내면

$▲÷● = \dfrac{▲}{●}$의 형태가 됩니다.

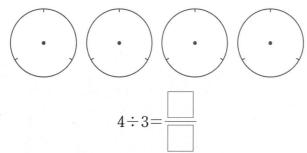

$4÷3 = \dfrac{\square}{\square}$

04 □ 안에 알맞은 수를 써넣어 정민이의 수학 일기를 완성해 보세요.

오늘 수학 시간에 새로운 것을 배웠다.

1÷8을 이용하여 5÷8을 구할 수 있었다.

$1÷8 = \dfrac{\square}{\square}$이다.

5÷8은 $\dfrac{1}{8}$이 $\square$개이다.

따라서 $5÷8 = \dfrac{\square}{\square}$이다.

05 □ 안에 알맞은 수를 써넣으세요.

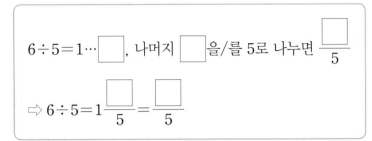

$$6 \div 5 = 1 \cdots \boxed{}, \text{ 나머지 } \boxed{} \text{을/를 5로 나누면 } \dfrac{\boxed{}}{5}$$

$$\Rightarrow 6 \div 5 = 1\dfrac{\boxed{}}{5} = \dfrac{\boxed{}}{5}$$

Tip

• (자연수)÷(자연수)의 몫은 나누어지는 수를 분자, 나누는 수를 분모로 하는 분수로 나타낼 수 있습니다.

06 □ 안에 알맞은 수를 써넣으세요.

(1) $\dfrac{14}{17} \div 7 = \dfrac{\boxed{} \div 7}{17} = \dfrac{\boxed{}}{17}$

(2) $\dfrac{3}{4} \div 5 = \dfrac{\boxed{}}{20} \div 5 = \dfrac{\boxed{} \div 5}{20} = \dfrac{\boxed{}}{20}$

(분수)÷(자연수)에서 분자가 자연수의 배수인지 먼저 알아봐요.

• (분수)÷(자연수)
= (분수) × $\dfrac{1}{(자연수)}$

07 관계있는 것끼리 선으로 이어 보세요.

$\dfrac{10}{7} \div 4$ •	• $\dfrac{7}{9} \times \dfrac{1}{5}$ •	• $\dfrac{7}{45}$
$\dfrac{3}{8} \div 6$ •	• $\dfrac{10}{7} \times \dfrac{1}{4}$ •	• $\dfrac{3}{48}$
$\dfrac{7}{9} \div 5$ •	• $\dfrac{3}{8} \times \dfrac{1}{6}$ •	• $\dfrac{10}{28}$

08 계산하여 기약분수로 나타내어 보세요.

(1) $\dfrac{8}{15} \div 4$

(2) $\dfrac{9}{14} \div 5$

(3) $\dfrac{11}{6} \div 8$

(4) $1\dfrac{1}{3} \div 5$

Tip

분자가 자연수로 나누어떨어질 때에는 분자만 나누어 계산하는 것이 더 간단해요.

• (대분수)÷(자연수)에서 대분수는 반드시 가분수로 바꾸어서 계산해야 합니다.

09 잘못 계산한 곳을 찾아 바르게 계산해 보세요.

$$1\dfrac{4}{7} \div 2 = 1\dfrac{4 \div 2}{7} = 1\dfrac{2}{7}$$

10 수 카드 3장을 모두 사용하여 계산 결과가 가장 작은 나눗셈식을 만들고 계산해 보세요.

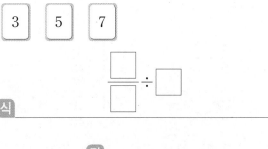

식 _____

답 _____

11 $2\dfrac{2}{7} \div 4$를 두 가지 방법으로 계산해 보세요.

방법 1

방법 2

Tip

분자를 자연수로 나누는 방법이나 분수의 곱셈으로 나타내어 계산하는 방법을 생각해 보세요.

1

분수의 나눗셈

12 끈 $\dfrac{8}{15}$ m를 모두 사용하여 정사각형 모양을 1개 만들었습니다. 이 정사각형의 한 변의 길이는 몇 m인지 기약분수로 나타내려고 합니다. 식을 쓰고 답을 구하세요.

식 _____

답 _____

· 정사각형은 네 변의 길이가 모두 같은 사각형입니다.

13 한 병에 $\dfrac{7}{5}$ L씩 들어 있는 주스가 5병 있습니다. 이 주스를 3일 동안 똑같이 나누어 마시려면 하루에 마셔야 할 주스는 몇 L인지 구하세요.

( )

· 먼저 주스의 양이 모두 몇 L 인지 구합니다.

01 3÷5를 그림으로 나타내고 몫을 구하세요.

$$3 \div 5 = \frac{\boxed{}}{\boxed{}}$$

02 $\frac{5}{8} \div 6$을 계산하려고 합니다. 그림을 보고 □ 안에 알맞은 수를 써넣으세요.

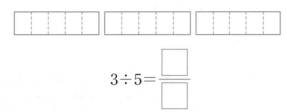

$\frac{5}{8} \div 6$의 몫은 $\frac{5}{8}$를 6등분 한 것 중의 하나입니다. 이것은 $\frac{5}{8}$의 $\frac{\boxed{}}{\boxed{}}$이므로 $\frac{5}{8} \times \frac{\boxed{}}{\boxed{}}$입니다.

따라서 $\frac{5}{8} \div 6 = \frac{5}{8} \times \frac{\boxed{}}{\boxed{}} = \frac{\boxed{}}{\boxed{}}$입니다.

03 □ 안에 알맞은 수를 써넣으세요.

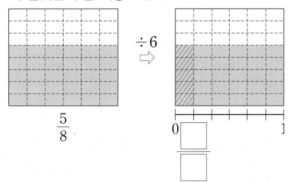

$10 \div 7 = 1 \cdots \boxed{}$, 나머지 $\boxed{}$을/를 7로

나누면 $\frac{\boxed{}}{7}$ ⇨ $10 \div 7 = 1\frac{\boxed{}}{7} = \frac{\boxed{}}{7}$

[04~05] □ 안에 알맞은 수를 써넣으세요.

04 $\frac{9}{10} \div 3 = \frac{9 \div \boxed{}}{10} = \frac{\boxed{}}{\boxed{}}$

05 $\frac{9}{4} \div 8 = \frac{\boxed{}}{32} \div 8 = \frac{\boxed{} \div 8}{32} = \frac{\boxed{}}{\boxed{}}$

06 빈칸에 알맞은 분수를 써넣으세요.

÷		
5	8	
4	9	

07 $1\frac{2}{3} \div 7$을 곱셈으로 바르게 나타낸 것은 어느 것일까요? ·································· (   )

① $\frac{3}{2} \times \frac{1}{7}$　　② $\frac{2}{3} \times 7$

③ $\frac{5}{3} \times 7$　　④ $\frac{5}{3} \times \frac{1}{7}$

⑤ $\frac{5}{2} \times 7$

[08~11] 계산하여 기약분수로 나타내어 보세요.

08 $\frac{16}{9} \div 4$

09 $\frac{13}{6} \div 3$

10 $4\frac{1}{6} \div 10$

11 $8\frac{2}{5} \div 7$

12 빈칸에 알맞은 기약분수를 써넣으세요.

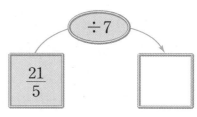

13 계산을 잘못한 친구의 이름을 쓰고 바르게 계산하여 기약분수로 나타내어 보세요.

$\frac{36}{7} \div 8 = \frac{9}{14}$　　$\frac{22}{9} \div 6 = 14\frac{2}{3}$

〈수현〉　　　　〈정아〉

(   ), (   )

14 $\frac{27}{8} \div 9$와 나눗셈의 몫이 같은 것을 찾아 ◯표 하세요.

$\frac{25}{6} \div 20$　　$\frac{15}{4} \div 10$

(   ) (   )

15 잘못 계산한 곳을 찾아 바르게 계산해 보세요.

$$\frac{5}{12} \div 10 = \frac{\overset{6}{\cancel{12}}}{5} \times \frac{1}{\underset{5}{\cancel{10}}} = \frac{6}{25}$$

16 리본 4 m를 9명이 똑같이 나누어 가졌습니다. 한 명이 가진 리본은 몇 m일까요?

( )

17 쌀 $\frac{21}{4}$ kg을 7명이 똑같이 나누어 가지려고 합니다. 한 명이 가질 쌀은 몇 kg인지 기약분수로 나타내어 보세요.

( )

18 가로가 2 cm이고 넓이가 $\frac{34}{15}$ cm²인 직사각형의 세로는 몇 cm인지 기약분수로 나타내어 보세요.

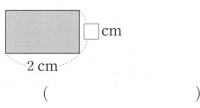

( )

19 무게가 똑같은 배 6개가 놓여 있는 쟁반의 무게가 $3\frac{1}{5}$ kg입니다. 빈 쟁반이 $\frac{2}{5}$ kg이라면 배 한 개는 몇 kg인지 기약분수로 나타내어 보세요.

( )

20 길이가 $12\frac{3}{5}$ cm인 철사로 가장 큰 정삼각형을 1개 만들었습니다. 만든 정삼각형의 한 변의 길이는 몇 cm인지 기약분수로 나타내어 보세요.

( )

스스로 학습장은 이 단원에서 배운 것을 확인하는 코너입니다.
몰랐던 것은 꼭 다시 공부해서 내 것으로 만들어 보아요.

• 스피드 정답표 3쪽, 정답 21쪽

※ 분수의 나눗셈에 대한 준서의 오답 노트입니다. **틀린** 부분을 바르게 고쳐서 다시 풀어 보세요.

1 $\frac{3}{7} \div 4 = \frac{3}{7} \times 4 = \frac{12}{7} = 1\frac{5}{7}$

2 $\frac{7}{9} \div 3 = \frac{7}{9 \div 3} = \frac{7}{3} = 2\frac{1}{3}$

3 $\frac{7}{3} \div 8 = \frac{56}{3} = 18\frac{2}{3}$

4 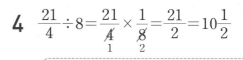 $\frac{21}{4} \div 8 = \frac{21}{\cancel{4}_1} \times \frac{1}{\cancel{8}_2} = \frac{21}{2} = 10\frac{1}{2}$

5 $2\frac{3}{4} \div 5 = \frac{9}{4} \div 5 = \frac{9}{4} \times \frac{1}{5} = \frac{9}{20}$

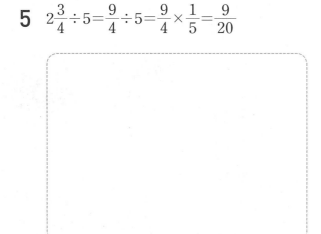

6 $5\frac{3}{\cancel{8}_2} \div \cancel{4}^1 = 5\frac{3}{2} = 6\frac{1}{2}$

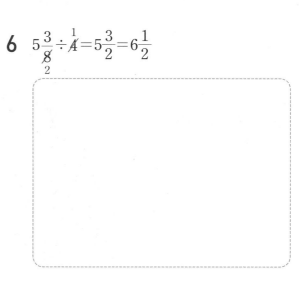

2 각기둥과 각뿔

QR 코드를 찍으면 2단원 개념 동영상 강의를 볼 수 있어요.

이번에 배울 내용

- 각기둥 알아보기
- 각기둥의 전개도 알아보기
- 각기둥의 전개도 그리기
- 각뿔 알아보기

할아버지, 고모가 곧 읍내에 도착한대요.

네.

깜짝이야!

샥

다른 곳도 구경하고 싶단 말이야.

같이 가요.

그럼 너희가 마중을 나갈래?

그럼 출발!

헤헤헤

잠시만!

읍내에 가는 길에 홍영감 가게에 가서 꿀단지를 받아 와라.

네!

헉! 저렇게 큰 직육면체가 움직이다니!

척

직육면체요?

직사각형 모양의 면 6개로 둘러싸인 도형을 직육면체라고 해.

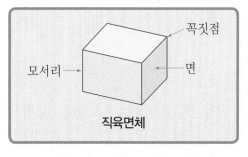

꼭짓점

모서리

면

직육면체

하하! 저건 버스라고 사람을 태우고 다니는 자동차예요.

부우우웅

버스?

이제 타세요.

빨리 타자! 예~

예~

역시 호기심이 많으시네.

준비 학습

1 다각형의 이름을 써 보세요.

(1)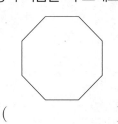

( )

(2)

( )

개념 체크 **1** ◀ 4학년 2학기 6단원

다각형

선분으로만 둘러싸인 도형을 다각형이라고 합니다.

다각형은 변의 수에 따라 변이 6개이면 육각형, 변이 7개이면 칠각형, 변이 8개이면 팔각형이라고 부릅니다.

2 정오각형을 찾아 ○표 하세요.

   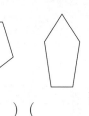

( ) ( ) ( ) ( )

개념 체크 **2** ◀ 4학년 2학기 6단원

정다각형

변의 길이가 모두 같고, 각의 크기가 모두 같은 다각형을 정다각형이라고 합니다.

(예)

정육각형

3 대각선의 수가 많은 순서대로 기호를 쓰세요.

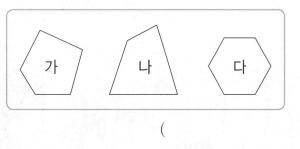

( )

개념 체크 **3** ◀ 4학년 2학기 6단원

대각선

다각형에서 이웃하지 않는 두 꼭짓점을 이은 선분을 대각선이라고 합니다.

(예)
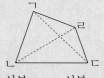

선분 ㄱㄷ, 선분 ㄴㄹ

4 오른쪽 직육면체를 보고 물음에 답하
세요.

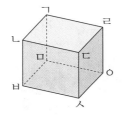

(1) 면 ㄱㄴㅂㅁ과 평행한 면을 찾아
써 보세요.
(   )

(2) 면 ㄴㅂㅅㄷ과 수직인 면을 모두 찾아 써 보세요.
(   )

5 □ 안에 알맞은 수를 써넣으세요.

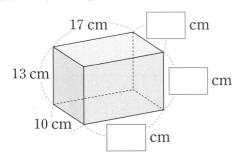

6 직육면체의 전개도를 그려 보세요.

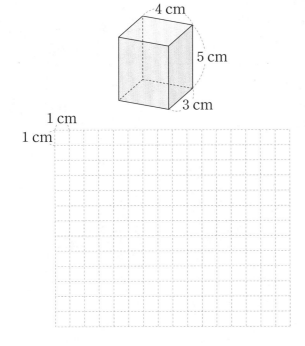

개념 체크 **4** ◀ 5학년 2학기 5단원

직육면체의 성질

• 직육면체에서 서로 마주 보는 면은 평
행합니다.
• 직육면체에서 서로 만나는 면은 수직입
니다.

개념 체크 **5** ◀ 5학년 2학기 5단원

직육면체의 모서리
길이가 같은 모서리는 4개씩 3쌍 있습니다.

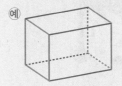

개념 체크 **6** ◀ 5학년 2학기 5단원

직육면체의 전개도 그리기
잘린 모서리는 실선, 잘리지 않은 모서리
는 점선으로 그립니다.

2

각기둥과 각뿔

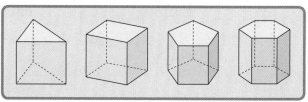

◎ 각기둥 알아보기

각기둥: , , , 등과 같은 입체도형

각기둥의 옆면은
모두 직사각형입니다.

◎ 각기둥의 밑면과 옆면

• 밑면: 각기둥에서 면 ㄱㄴㄷ과 면 ㄹㅁㅂ과 같이
서로 평행하고 합동인 두 면 → 두 밑면은 나머지 면들과
모두 수직으로 만납니다.

• 옆면: 각기둥에서 면 ㄴㅁㅂㄷ, 면 ㄱㄹㅁㄴ,
면 ㄱㄹㅂㄷ과 같이 두 밑면과 만나는 면

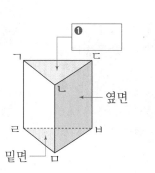

옆면

밑면

➡ 정답 ❶ 밑면

2
각기둥과 각뿔

[1~3] 각기둥이면 ○표, 각기둥이 아니면 ✕표 하세요.

1

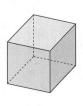

(   )

2

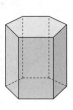

(   )

3

(   )

[4~6] 각기둥의 밑면에 모두 색칠하세요.

4

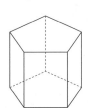

5

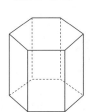

6

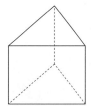

각기둥에서 두 밑면은
나머지 면들과
모두 수직으로 만나요.

아저씨!

어, 너희 왔구나!

말도 없이 혼자 다니시면 어떡해요.

걱정했잖아요.

오~ 그렇게 걱정이 됐단 말이야?

헤헤

당연하죠, 제가 존경하는 분인데…….

그런데 뭘 보고 계신 거예요?

또 먹을 거 보고 계셨네.

아이스크림

무슨 소리냐?

난 너희에게 쉽게 설명하려고 고민 중이었어.

아이스크림

자, 아이스크림을 봐.

아이스크림

척

밑면의 모양이 삼각형, 사각형, 오각형……일 때 삼각기둥, 사각기둥, 오각기둥……이라고 해.

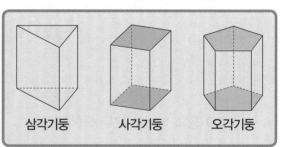

| 삼각기둥 | 사각기둥 | 오각기둥 |

이 분이 갈릴레오?

고모님, 반갑습니다!

꺄악~ 팬이에요! 사인 한 장 해주세요.

사인을 해주면 이거 한 개 사줘요.

?!

큭큭

◎ **각기둥의 이름과 구성 요소**

• 각기둥은 밑면의 모양이 삼각형, 사각형, 오각형……일 때
  삼각기둥, 사각기둥, 오각기둥……이라고 합니다.

삼각기둥   사각기둥   오각기둥

모서리	면과 면이 만나는 선분
꼭짓점	모서리와 모서리가 만나는 점
높이	두 밑면 사이의 거리

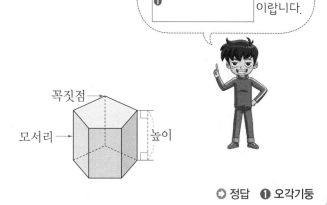

밑면이 오각형인 각기둥은
❶　　　　　　　이랍니다.

꼭짓점

모서리 →

높이

✪ 정답 ❶ 오각기둥

[1~2] 각기둥의 이름을 써 보세요.

1

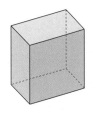

(   )

2

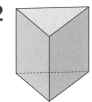

(   )

3 각기둥을 보고 □ 안에 알맞은 수나 말을 써넣으세요.

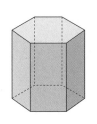

(1) 각기둥에서 면과 면이 만나는 선분을 　　　　　라고 합니다.

(2) 밑면의 모양이 　　　　　이므로

　　이 각기둥의 이름은 　　　　　입니다.

(3) 이 각기둥의 모서리는 모두 　　개입니다.

[4~5] 각기둥의 꼭짓점은 모두 몇 개인지 구하세요.

4

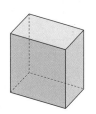

(   )

5

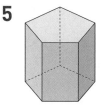

(   )

각기둥 알아보기

[01~03] 그림을 보고 물음에 답하세요.

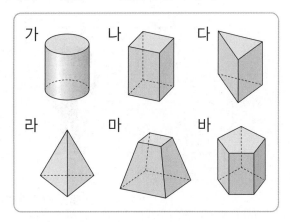

01 서로 평행한 두 면이 있는 도형을 모두 찾아 기호를 써 보세요.

( )

02 서로 평행한 두 면이 합동인 다각형으로 이루어진 도형을 모두 찾아 기호를 써 보세요.

( )

03 각기둥을 모두 찾아 기호를 써 보세요.

( )

04 각기둥에 모두 ◯표 하세요.

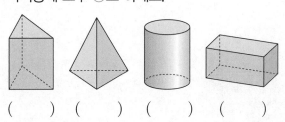

( ) ( ) ( ) ( )

05 각기둥을 보고 물음에 답하세요.

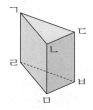

(1) 밑면을 모두 찾아 써 보세요.

_____

(2) 옆면을 모두 찾아 써 보세요.

_____

_____

06 각기둥을 보고 물음에 답하세요.

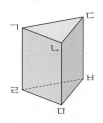

(1) 꼭짓점을 모두 찾아 써 보세요.

_____

_____

(2) 모서리를 모두 찾아 써 보세요.

_____

_____

_____

[07~09] 각기둥의 밑면의 모양과 이름을 써 보세요.

07

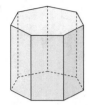

밑면의 모양 (   )

각기둥의 이름 (   )

08

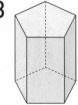

밑면의 모양 (   )

각기둥의 이름 (   )

09

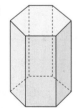

밑면의 모양 (   )

각기둥의 이름 (   )

[10~13] 각기둥을 보고 꼭짓점의 수와 모서리의 수를 구하세요.

10

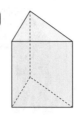

꼭짓점의 수 ☐ 개

모서리의 수 ☐ 개

11

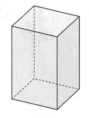

꼭짓점의 수 ☐ 개

모서리의 수 ☐ 개

12

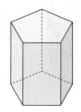

꼭짓점의 수 ☐ 개

모서리의 수 ☐ 개

13

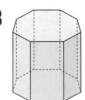

꼭짓점의 수 ☐ 개

모서리의 수 ☐ 개

2

각기둥과 각뿔

교과서 개념 — 각기둥의 전개도는 무엇인가요?

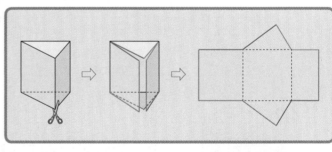

각기둥의 모서리를 잘라서 평면 위에 펼쳐놓은 그림을 각기둥의 전개도라고 해요.

◎ 각기둥의 전개도 알아보기

각기둥의 전개도: 각기둥의 모서리를 잘라서 평면 위에 펼쳐 놓은 그림

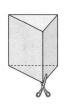 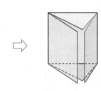 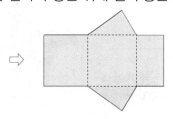

왼쪽은 ❶   각기둥의 모서리를 잘라서 펼쳐 놓은 그림이에요.

◐ 정답　❶ 삼

[1~3] 전개도를 접으면 어떤 입체도형이 되는지 써 보세요.

1

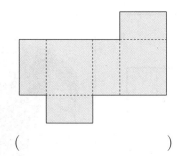

(　　　　　　　　)

전개도에서 밑면을 찾아봐요.

2

각기둥과 각뿔

2

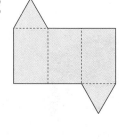

(　　　　　　　)

3

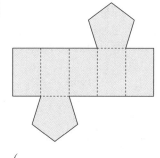

(　　　　　　　　　)

4 사각기둥을 보고 전개도를 그린 것입니다. ☐ 안에 알맞은 수를 써넣으세요.

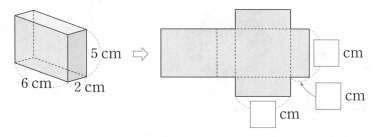

5 cm

6 cm　　2 cm

☐ cm

☐ cm

☐ cm

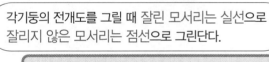

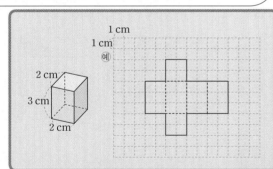

◎ 각기둥의 전개도 그리기

각기둥의 전개도를 그릴 때 잘린 모서리는 실선으로, 잘리지 않은 모서리는 으로 그립니다.

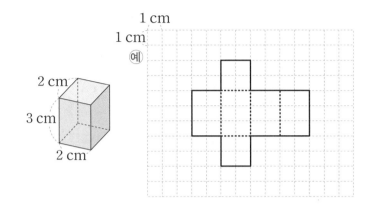

전개도는 모서리를 자르는 방법에 따라 모양이 달라져요.

↪ 정답 ❶ 점선

2

각기둥과 각뿔

1 사각기둥의 전개도를 서로 다른 두 가지 방법으로 그린 것입니다. 전개도를 완성해 보세요.

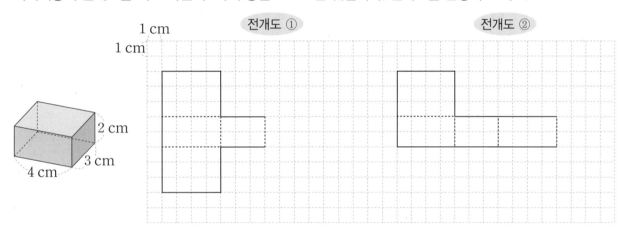

2 밑면이 사다리꼴인 사각기둥의 전개도를 완성해 보세요.

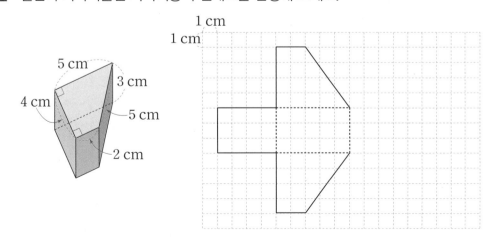

각기둥의 전개도 알아보기

[01~04] 다음 전개도는 어떤 각기둥의 전개도인지 도형의 이름을 써 보세요.

01

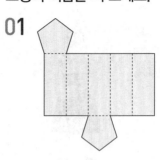

(   )

02

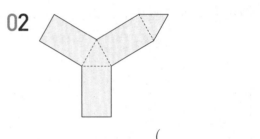

(   )

03

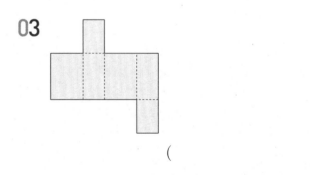

(   )

04

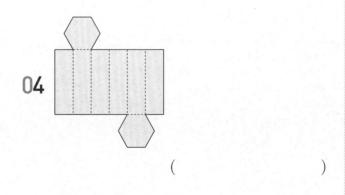

(   )

[05~06] 전개도를 접어서 각기둥을 만들었습니다. □ 안에 알맞은 수를 써넣으세요.

05

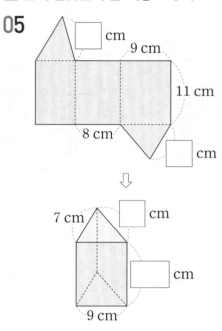

06

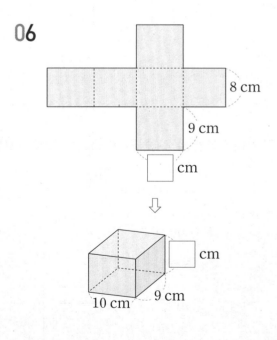

각기둥의 전개도 그리기

[07~10] 사각기둥의 전개도를 그려 보세요.

07

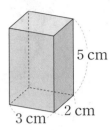

5 cm
3 cm 2 cm

1 cm
1 cm

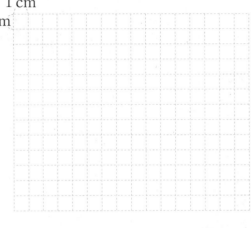

08

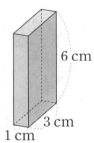

6 cm
1 cm 3 cm

1 cm
1 cm

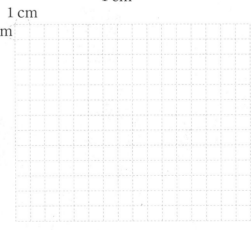

09

4 cm
2 cm 2 cm

1 cm
1 cm

10

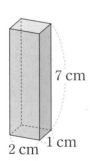

7 cm
2 cm 1 cm

1 cm
1 cm

2

각기둥과 각뿔

알겠습니다~

홍씨 할아버지 외출하신다고 빨리 오래.

빨리 가요.

지붕이 각뿔 모양인 건물인데…….

각뿔이요?

그림과 같은 도형을 각뿔이라고 해요.

각뿔에서 면 ㄴㄷㄹㅁ과 같은 면을 밑면이라고 하고 밑면과 만나는 면을 옆면이라고 해요.

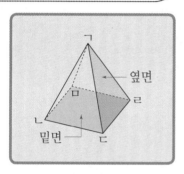

옆면

밑면

각뿔의 옆면은 어떤 도형일까?

옆면이요?

각뿔의 옆면은 모두 삼각형입니다.

오~

이 정도야 뭐.

제자로 다시 키워볼까?

푸하하

진짜요?

그런데 이게 무슨 냄새지?

읍

아까 아이스크림을 너무 많이 먹어서 배탈이 났나?

까악!

너무 지독해.

뿡 뿌웅

이정도 냄새 가지고 왜 저러지?

훅 훅

끄윽

살려주세요!

◎ 각뿔 알아보기

• 각뿔: , , 등과 같은 입체도형

• 밑면: 각뿔에서 면 ㄴㄷㄹㅁ과 같은 면

• 옆면: 각뿔에서 면 ㄱㄴㄷ, 면 ㄱㄷㄹ, 면 , 면 ㄱㄴㅁ과 같이 밑면과 만나는 면

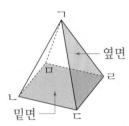

옆면

밑면

각뿔의 옆면은 모두 삼각형이에요.

◆ 정답 ❶ ㄱㅁㄹ

2

각기둥과 각뿔

1 각뿔이면 ○표, 각뿔이 아니면 ×표 하세요.

   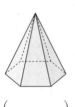

(　　) (　　) (　　) (　　) (　　)

[2~3] 각뿔에서 밑면을 찾아 색칠하고 옆면은 어떤 도형인지 써 보세요.

2

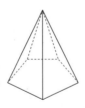

(　　　　　　　　　)

3

(　　　　　　　　　)

4 각뿔을 보고 밑면과 옆면을 모두 찾아 써 보세요.

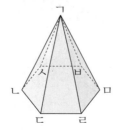

밑면	
옆면	

나보다 더 지독한 방귀는 처음이야.

그만큼 내공이 쌓여서 그래.

저기 찾았어요!

정말 각뿔 모양 지붕이네.

각뿔에 대해 알아보자.

넵!

각뿔은 밑면의 모양이 삼각형, 사각형, 오각형……일 때 삼각뿔, 사각뿔, 오각뿔……이라고 해요.

삼각뿔   사각뿔   오각뿔

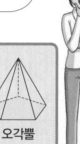

모서리, 꼭짓점, 높이는 다음과 같아.

각뿔의 꼭짓점
모서리
높이
꼭짓점

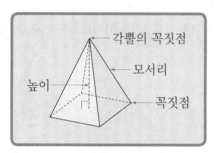

아하~ 이제 알겠어요!

너 이제 진짜 제자 같아.

딱

각뿔 모양 지붕을 더 찾아볼까?

두리번
두리번

저기 또 있다!

이렇게 무거운 짐을 나 혼자 들고 가야 하다니…….

낑
낑

우린 아직 어리잖아요.

전 좀 피곤해서요.

낑
낑

헉 헉

괜히 같이 왔나?

힘내세요, 스승님!

◎ 각뿔의 이름과 구성 요소

• 각뿔은 밑면의 모양이 삼각형, 사각형, 오각형……일 때 삼각뿔, 사각뿔, 오각뿔……이라고 합니다.

•

모서리	면과 면이 만나는 선분
꼭짓점	모서리와 모서리가 만나는 점
각뿔의 꼭짓점	꼭짓점 중에서도 옆면이 모두 만나는 점
높이	각뿔의 꼭짓점에서 밑면에 수직인 선분의 길이

사각뿔의 모서리는 모두 8개, 꼭짓점은 모두 ❷ 개랍니다.

각뿔의 꼭짓점

모서리

높이

높이

◯ 정답 ❶ 꼭짓점 ❷ 5

[1～2] 밑면의 모양을 쓰고 각뿔의 이름을 써 보세요.

1
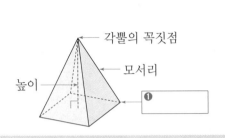

밑면의 모양 ( )
각뿔의 이름 ( )

2
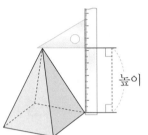

밑면의 모양 ( )
각뿔의 이름 ( )

[3～5] 각뿔을 보고 물음에 답하세요.

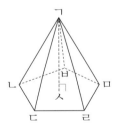

3 각뿔의 밑면을 찾아 색칠해 보세요.

4 모서리는 모두 몇 개일까요? ( )

5 꼭짓점은 모두 몇 개일까요? ( )

2 단계 개념 **집중 연습**

각뿔 알아보기

[01～03] 입체도형을 보고 물음에 답하세요.

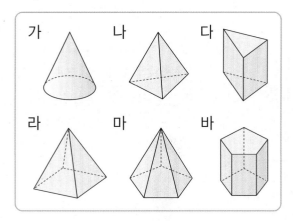

가　나　다

라　마　바

01 밑면이 다각형인 도형을 모두 찾아 기호를 써 보세요.
　↳ 선분으로 둘러싸인 도형

（　　　　　　　　）

02 밑면이 다각형이고 옆면이 삼각형인 도형을 모두 찾아 기호를 써 보세요.

（　　　　　　　　）

03 각뿔을 모두 찾아 기호를 써 보세요.

（　　　　　　　　）

04 각뿔에 모두 ○표 하세요.

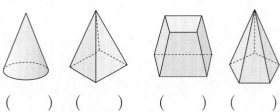

（　　）（　　）（　　）（　　）

[05～08] 각뿔의 밑면의 모양과 이름을 써 보세요.

05

밑면의 모양 （　　　　　　　）
각뿔의 이름 （　　　　　　　）

06

밑면의 모양 （　　　　　　　）
각뿔의 이름 （　　　　　　　）

07

밑면의 모양 （　　　　　　　）
각뿔의 이름 （　　　　　　　）

08

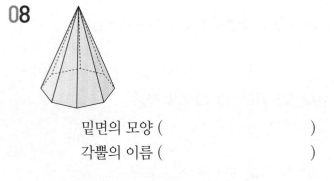

밑면의 모양 （　　　　　　　）
각뿔의 이름 （　　　　　　　）

09 각뿔을 보고 물음에 답하세요.

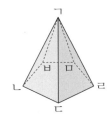

(1) 밑면을 찾아 써 보세요.

( )

(2) 옆면을 모두 찾아 써 보세요.

_____

_____

10 각뿔을 보고 물음에 답하세요.

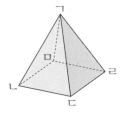

(1) 밑면을 찾아 써 보세요.

( )

(2) 꼭짓점을 모두 찾아 써 보세요.

_____

_____

[11~14] 각뿔을 보고 꼭짓점의 수와 모서리의 수를 구하세요.

11

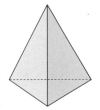

꼭짓점의 수 ☐ 개

모서리의 수 ☐ 개

12

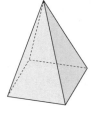

꼭짓점의 수 ☐ 개

모서리의 수 ☐ 개

13

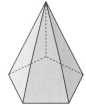

꼭짓점의 수 ☐ 개

모서리의 수 ☐ 개

14

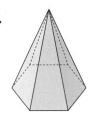

꼭짓점의 수 ☐ 개

모서리의 수 ☐ 개

2
각
기
둥
과
각
뿔

익힘책 익히기

01 도형을 보고 물음에 답하세요.

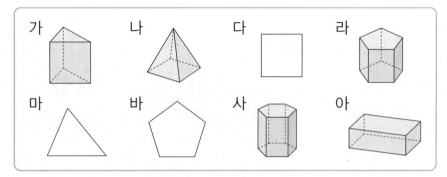

(1) 평면도형을 모두 찾아 기호를 써 보세요.

(   )

(2) 입체도형을 모두 찾아 기호를 써 보세요.

(   )

(3) 밑면이 서로 평행하고 합동인 다각형으로 이루어진 도형을 모두 찾 아 기호를 써 보세요.

(   )

(4) 밑면이 서로 평행하고 합동인 다각형으로 이루어진 도형을 무엇이 라고 할까요?

(   )

Tip

• 각기둥은 평행한 두 면이 있어 야 하고 이 두 면은 합동인 다 각형이어야 합니다.

02 각기둥을 보고 빈칸에 알맞은 수를 써넣으세요.

가   나

 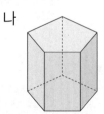

도형	한 밑면의 변의 수(개)	꼭짓점의 수(개)	면의 수(개)	모서리의 수(개)
가				
나				

• 각기둥에서 다음과 같은 규칙 을 찾을 수 있습니다.
(꼭짓점의 수)
　=(한 밑면의 변의 수)×2
(면의 수)
　=(한 밑면의 변의 수)+2
(모서리의 수)
　=(한 밑면의 변의 수)×3

03 입체도형을 보고 물음에 답하세요.

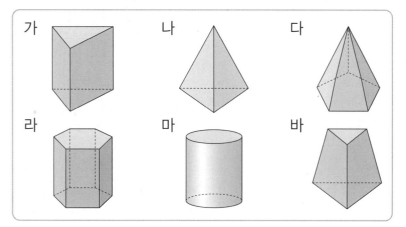

(1) 밑면이 다각형인 도형을 모두 찾아 기호를 써 보세요.

( )

(2) 밑면이 다각형이고 옆면이 삼각형인 도형을 모두 찾아 기호를 써 보세요.

( )

(3) 각뿔을 모두 찾아 기호를 써 보세요.

( )

마는 밑면이 있지만 다각형이 아닙니다.

2

각기둥과 각뿔

• 밑면이 다각형이고 옆면이 삼각형인 도형은 각뿔입니다.

04 각뿔을 보고 빈칸에 알맞은 수를 써넣으세요.

가 나

 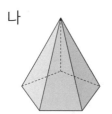

도형	밑면의 변의 수(개)	꼭짓점의 수(개)	면의 수(개)	모서리의 수(개)
가				
나				

• 각뿔에서 다음과 같은 규칙을 찾을 수 있습니다.
(꼭짓점의 수)
  =(밑면의 변의 수)+1
(면의 수)
  =(밑면의 변의 수)+1
(모서리의 수)
  =(밑면의 변의 수)×2

05 각기둥의 겨냥도를 완성해 보세요.

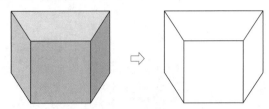

Tip
・입체도형의 겨냥도를 그릴 때 보이는 모서리는 실선으로, 보이지 않는 모서리는 점선으로 나타냅니다.

06 전개도를 보고 물음에 답하세요.

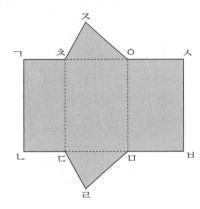

먼저 밑면의 모양을 알아봅니다.

⑴ 전개도를 접으면 어떤 도형이 될까요?

(   )

⑵ 전개도를 접었을 때 선분 ㄱㄴ과 맞닿는 선분을 찾아 써 보세요.

(   )

⑶ 전개도를 접었을 때 면 ㄷㄹㅁ과 만나는 면을 모두 찾아 써 보세요.

(   )

07 전개도를 접어서 각기둥을 만들었습니다. □ 안에 알맞은 수를 써넣으세요.

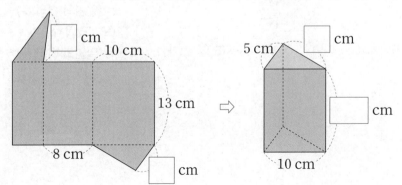

・각기둥의 높이는 전개도에서 옆면의 세로와 같습니다.

08 사각기둥의 전개도를 완성해 보세요.

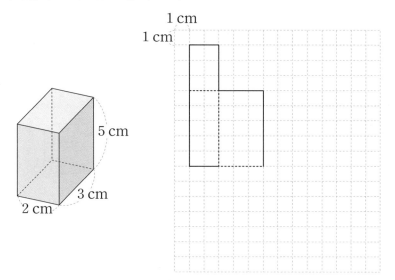

Tip

• 사각기둥의 전개도에 그려야 하는 면은 밑면 2개, 옆면 4개 입니다.

09 삼각기둥의 전개도를 서로 다른 두 가지 방법으로 그려 보세요.

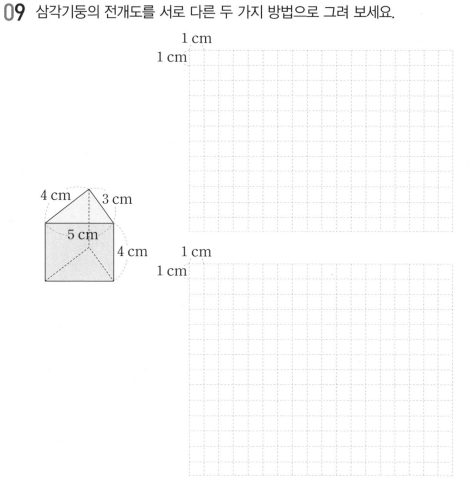

밑면 2개, 옆면 3개를 그려야 합니다.

단계

[01~02] 입체도형을 보고 물음에 답하세요.

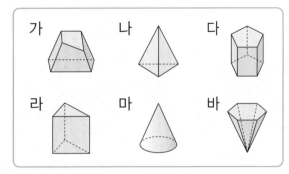

가　　나　　다

라　　마　　바

01 각기둥을 모두 찾아 기호를 써 보세요.

(　　　　　)

02 각뿔을 모두 찾아 기호를 써 보세요.

(　　　　　)

03 각뿔의 이름을 써 보세요.

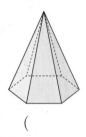

(　　　　　)

04 각기둥을 보고 밑면의 모양과 각기둥의 이름을 써 보세요.

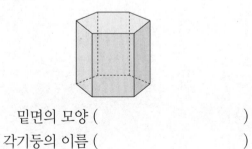

밑면의 모양 (　　　　　)

각기둥의 이름 (　　　　　)

05 보기 에서 알맞은 말을 골라 □ 안에 써넣으세요.

보기

모서리　밑면　각뿔의 꼭짓점　높이　옆면

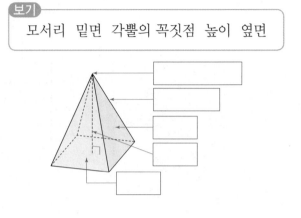

[06~07] 각기둥을 보고 물음에 답하세요.

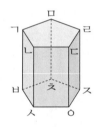

06 서로 평행한 두 면을 찾아 써 보세요.

(　　　　　　　　　)

07 밑면에 수직인 면은 모두 몇 개일까요?

(　　　　　　)

08 각뿔의 높이를 바르게 잰 것을 찾아 기호를 써 보세요.

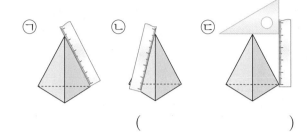

(   )

[09~11] 각뿔을 보고 물음에 답하세요.

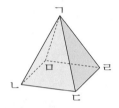

09 밑면을 찾아 써 보세요.

(   )

10 밑면과 만나는 면은 모두 몇 개일까요?

(   )

11 옆면을 모두 찾아 써 보세요.

12 삼각기둥의 높이는 몇 cm일까요?

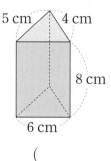

(   )

13 다음 전개도를 접어서 만든 도형의 이름을 써 보세요.

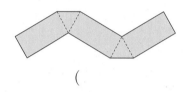

(   )

14 사각기둥을 보고 전개도를 그린 것입니다. □ 안에 알맞은 수를 써넣으세요.

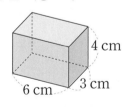

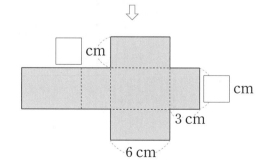

15 다음 중 각기둥에 대한 설명으로 <u>틀린</u> 것은 어느 것일까요? ·················· (   )

① 밑면이 다각형입니다.

② 밑면의 수는 2개입니다.

③ 옆면의 모양은 직사각형입니다.

④ 면의 수와 모서리의 수가 같습니다.

⑤ 밑면의 모양에 따라 이름이 정해집니다.

16 각기둥을 보고 규칙을 찾아 식으로 나타낸 것입니다. ☐ 안에 알맞은 수를 써넣으세요.

• (각기둥의 꼭짓점의 수)

  =(한 밑면의 변의 수)×☐

• (각기둥의 면의 수)

  =(한 밑면의 변의 수)+☐

• (각기둥의 모서리의 수)

  =(한 밑면의 변의 수)×☐

17 다음 입체도형이 각뿔이 <u>아닌</u> 이유를 써 보세요.

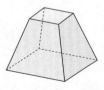

이유 _____

_____

18 오른쪽 각기둥의 전개도를 그려 보세요.

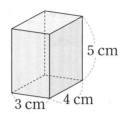

5 cm

3 cm   4 cm

1 cm

1 cm

[19~20] 지수가 만든 선물 상자의 전개도를 보고 물음에 답하세요.

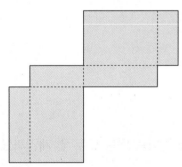

19 위의 전개도를 접으면 어떤 도형이 될까요?

(   )

20 전개도를 접어 만든 도형의 모서리의 수와 면의 수의 차는 몇 개일까요?

(   )

스스로 학습장은 이 단원에서 배운 것을 확인하는 코너입니다.
몰랐던 것은 꼭 다시 공부해서 내 것으로 만들어 보아요.

• 스피드 정답표 6쪽, 정답 27쪽

✳ 그림을 보고 물음에 답하세요.

1 각기둥에 ◯표 하세요.

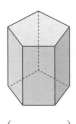 

(   )   (   )

2 각뿔에 ◯표 하세요.

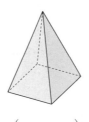 

(   )   (   )

3 오각뿔에 ◯표 하세요.

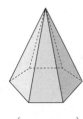 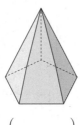

(   )   (   )

4 사각기둥에 ◯표 하세요.

 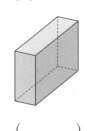

(   )   (   )

5 꼭짓점의 수가 더 적은 것에 ◯표 하세요.

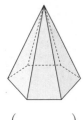 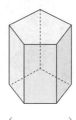

(   )   (   )

6 면의 수가 더 많은 것에 ◯표 하세요.

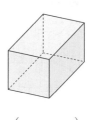 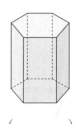

(   )   (   )

7 모서리의 수가 더 많은 것에 ◯표 하세요.

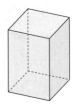 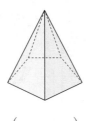

(   )   (   )

8 모서리의 수가 더 많은 것에 ◯표 하세요.

(   )   (   )

2

각기둥과 각뿔

3

소수의 나눗셈

QR 코드를 찍으면
3단원 개념 동영상
강의를 볼 수 있어요

이번에 배울 내용

- 자연수의 나눗셈을 이용한
  (소수)÷(자연수)
- 각 자리에서 나누어떨어지
  지 않는 (소수)÷(자연수)
- 몫이 1보다 작은 소수인
  (소수)÷(자연수)
- 소수점 아래 0을 내려
  계산하는 (소수)÷(자연수)
- 몫의 소수 첫째 자리에 0이
  있는 (소수)÷(자연수)
- (자연수)÷(자연수)의 몫을
  소수로 나타내기
- 몫을 어림하기

괜찮…… 윽!

이게 다
너 때문이야!

큭, 이거 하나만
가르쳐 주세요.

내가 왜?

고모~
사실은…….

하하하! 그래,
가르쳐 줄게~ 뭔데?

1.4 × 3.2

이건 소수의
곱셈이구나.
이건 말이지…….

소수의 곱셈은 두 가지 방법으로 할 수 있어.

방법 1 분수의 곱셈으로 고쳐서 계산

$$1.4 \times 3.2 = \frac{14}{10} \times \frac{32}{10} = \frac{448}{100} = 4.48$$

방법 2 자연수의 곱셈을 이용하여 계산

$$\begin{array}{r} 1.4 \\ \times\ 3.2 \\ \hline 2\ 8 \\ 4\ 2\ \ \\ \hline 4.4\ 8 \end{array}$$

← 결과는 소수 두 자리 수

요즘 준수가
공부 열심히 하네.

숙제라서요.

저 녀석……

이러고 있을 때가
아닙니다~.

오늘 천문대
가기로 했잖아요!

그랬지! 드디어
별을 볼 수 있겠어!

마을 이장이 너희를
데려다 준대.

네, 서두를게요!

1 계산해 보세요.

(1) $\begin{array}{r} 4.9 \\ \times 1.7 \\ \hline \end{array}$

(2) $\begin{array}{r} 6.4\,3 \\ \times\ \ 1.7 \\ \hline \end{array}$

2 소수점의 위치를 생각하여 계산해 보세요.

(1) 8.432×10

8.432×100

8.432×1000

(2) 379×0.1

379×0.01

379×0.001

3 잘못 계산한 곳을 찾아 바르게 계산해 보세요.

$$1\frac{3}{5} \div 6 = 1\frac{\overset{1}{\cancel{3}}}{5} \times \frac{1}{\underset{2}{\cancel{6}}} = 1\frac{1}{10}$$

개념 체크 **1** ◀ 5학년 2학기 4단원

소수의 곱셈

곱하는 두 소수의 소수점 아래 자릿수의 합과 곱의 소수점 아래 자릿수는 같습니다.

예
$$\begin{array}{r} 1.3 \leftarrow \text{소수 한 자리 수} \\ \times 4.2 \leftarrow \text{소수 한 자리 수} \\ \hline 5.4\,6 \leftarrow \text{소수 두 자리 수} \end{array}$$

개념 체크 **2** ◀ 5학년 2학기 4단원

곱의 소수점의 위치

• (소수) × 10, 100, 1000은 곱하는 수의 0의 개수만큼 소수점이 오른쪽으로 옮겨집니다.

• (소수) × 0.1, 0.01, 0.001은 곱하는 수의 소수점 아래 자릿수만큼 소수점이 왼쪽으로 옮겨집니다.

개념 체크 **3** ◀ 6학년 1학기 1단원

(대분수) ÷ (자연수)

대분수를 반드시 가분수로 고친 후 계산합니다.

4 나눗셈의 몫을 분수로 나타내어 보세요.

⑴ $4 \div 5$ ⑵ $6 \div 13$

개념 체크 **4** ◀ 6학년 1학기 1단원

(자연수)÷(자연수)의 몫을 분수로 나타내기

(자연수)÷(자연수)의 몫을 분수로 나타낼 때에는 $\blacktriangle \div \bullet = \dfrac{\blacktriangle}{\bullet}$ 의 형태로 나타냅니다.

5 계산하여 기약분수로 나타내어 보세요.

⑴ $\dfrac{12}{15} \div 4$ ⑵ $\dfrac{9}{13} \div 4$

개념 체크 **5** ◀ 6학년 1학기 1단원

(분수)÷(자연수)

• 분자가 자연수의 배수일 때에는 분자를 자연수로 나눕니다.

• 자연수를 $\dfrac{1}{(자연수)}$ 로 바꾼 다음 곱합니다.

6 직사각형의 넓이는 몇 cm²인지 식을 쓰고 답을 구하세요.

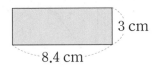

3 cm
8.4 cm

식 _____

답 _____

개념 체크 **6** ◀ 5학년 2학기 4단원

(소수)×(자연수)

분수의 곱셈으로 고쳐서 계산하거나 자연수의 곱셈을 이용하여 계산합니다.

㉾ ┌ $1.3 \times 3 = \dfrac{13}{10} \times 3 = \dfrac{39}{10} = 3.9$

└ $13 \times 3 = 39$이므로 $1.3 \times 3 = 3.9$

7 혜준이의 몸무게는 43.8 kg입니다. 민지의 몸무게는 혜준이의 몸무게의 1.25배입니다. 민지의 몸무게는 몇 kg인지 식을 쓰고 답을 구하세요.

식 _____

답 _____

개념 체크 **7** ◀ 5학년 2학기 4단원

1보다 큰 소수의 곱셈

(소수)×(소수)는 자연수의 곱셈과 같은 방법으로 계산하고 두 소수의 소수점 아래 자릿수의 합만큼 소수점을 왼쪽으로 옮깁니다.

3

소수의 나눗셈

두 둥

바퀴가 빠졌어요!

후진하다가 그만……

우왓, 신기하게 생긴 마차네.

농작물을 실어 나르는 경운기라고 해요.

아무래도 데려다 줄 수 없을 거 같구나. 미안하다~.

후~

고모, 그럼 우리는 어떻게 가요?

음

아주 먼 거리는 아니니 걸어가 보자.

헉! 걸어서요?

천문대까지 3.66 km이니까 세 번에 나눠서 가자.

설마 계산해야 하는 건가요?

그렇지, 3.66÷3을 계산해 볼래?

자연수의 나눗셈을 이용해서 구할 수 있어.

$$366 \div 3 = 122$$

$\frac{1}{10}$ 배 $\quad$ $\frac{1}{10}$ 배

$$36.6 \div 3 = 12.2$$

$\frac{1}{100}$ 배 $\quad$ $\frac{1}{100}$ 배

$$3.66 \div 3 = 1.22$$

나누어지는 수가 $\frac{1}{10}$ 배가 되면 몫도 $\frac{1}{10}$ 배가 되고

나누어지는 수가 $\frac{1}{100}$ 배가 되면 몫도 $\frac{1}{100}$ 배가 됩니다.

이제 알겠지?

척 척 척

빨리 가요!

◎ 자연수의 나눗셈을 이용하여 (소수)÷(자연수) 계산하기

• 3.66÷3을 계산하기

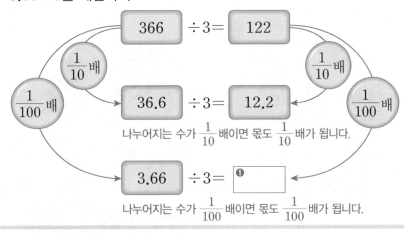

나누어지는 수가 $\frac{1}{10}$배이면 몫도 $\frac{1}{10}$배가 됩니다.

나누어지는 수가 $\frac{1}{100}$배이면 몫도 $\frac{1}{100}$배가 됩니다.

자연수의 나눗셈을 이용하여 소수의 나눗셈을 할 수 있어요.

○ 정답 ❶ 1.22

1 □ 안에 알맞은 수를 써넣으세요.

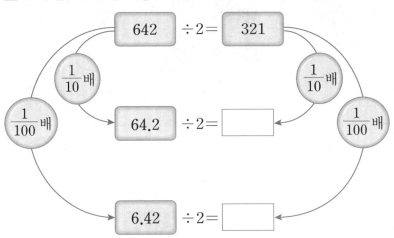

[2~3] □ 안에 알맞은 수를 써넣으세요.

2

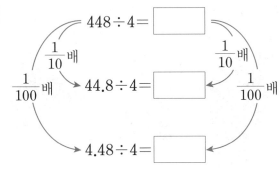

$448 ÷ 4 = \boxed{}$

$44.8 ÷ 4 = \boxed{}$

$4.48 ÷ 4 = \boxed{}$

3

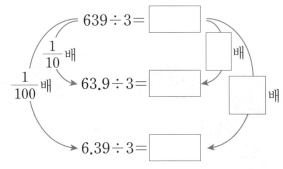

$639 ÷ 3 = \boxed{}$

$63.9 ÷ 3 = \boxed{}$

$6.39 ÷ 3 = \boxed{}$

3

소수의 나눗셈

그냥 걷기 심심하니까 소수의 나눗셈을 해볼까?

준수야, 25.26÷3을 계산해 봐.

그 정도는!

스승님! 저에게 가르침을 주십시오!

휴~

제자 한 명 키우기 정말 힘들군.

후~

분수로 바꿔서 계산할 수 있고 세로셈으로 계산할 수도 있지. 난 분수로 바꿔서 계산해 볼게.

$$25.26 \div 3 = \frac{2526}{100} \div 3$$
$$= \frac{2526 \div 3}{100}$$
$$= \frac{842}{100}$$
$$= 8.42$$

에헴~ 다들 잘 들었죠?

네가 한 게 아니잖아!

스승님과 저는 한 마음이죠!

난 허락한 적이 없는데?

너무 지쳐서 생각이 안 난 거야.

핑계는……

우리 1.22 km를 걸어왔으니까 한 번 쉬어요!

그러자.

• 스피드 정답표 7쪽, 정답 28쪽 월 일

◎ **각 자리에서 나누어떨어지지 않는 (소수)÷(자연수)**

• 25.26÷3 계산하기

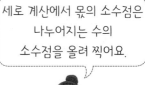
세로 계산에서 몫의 소수점은 나누어지는 수의 소수점을 올려 찍어요.

(1) $25.26 \div 3 = \dfrac{2526}{100} \div 3$

$= \dfrac{2526 \div 3}{100}$

$= \dfrac{842}{100}$

$=$ ❶ ☐

(2) $2526 \div 3 = 842$

$\xrightarrow{\frac{1}{100}배} \qquad \xrightarrow{\frac{1}{100}배}$

$25.26 \div 3 =$ ❷ ☐

(3)
```
      8.4 2
3) 2 5.2 6
   2 4
   ──
     1 2
     1 2
     ──
         6
         6
       ──
         0
```

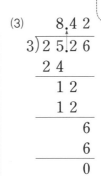

○ 정답 ❶ 8.42 ❷ 8.42

---

1 분수의 나눗셈으로 바꾸어 계산하려고 합니다. ☐ 안에 알맞은 수를 써넣으세요.

$$19.6 \div 7 = \frac{196}{10} \div 7 = \frac{196 \div 7}{10} = \frac{\boxed{}}{10} = \boxed{}$$

2 ☐ 안에 알맞은 수를 써넣으세요.

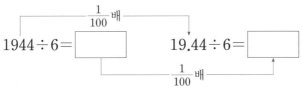

$1944 \div 6 = \boxed{}$ $19.44 \div 6 = \boxed{}$

$\frac{1}{10}배 \begin{matrix} \boxed{196} \div 7 = \boxed{28} \\ \boxed{19.6} \div 7 = \boxed{2.8} \end{matrix} \frac{1}{10}배$

나누어지는 수가 $\frac{1}{10}$ 배가 되면 몫도 $\frac{1}{10}$ 배가 돼요.

[3~8] 계산해 보세요.

3
```
4) 1 7.8 4
```

4
```
9) 4 8.6
```

5
```
5) 2 2.3 5
```

6
```
6) 3 8.8 2
```

7
```
6) 1 9.8 6
```

8
```
5) 2 8.1 5
```

3

소수의 나눗셈

2 단계

자연수의 나눗셈을 이용한 (소수)÷(자연수)

[01~04] 계산해 보세요.

01 $462 \div 2 = \boxed{}$

$46.2 \div 2 = \boxed{}$

$4.62 \div 2 = \boxed{}$

02 $936 \div 3 = \boxed{}$

$93.6 \div 3 = \boxed{}$

$9.36 \div 3 = \boxed{}$

03 $555 \div 5 = \boxed{}$

$55.5 \div 5 = \boxed{}$

$5.55 \div 5 = \boxed{}$

04 $884 \div 4 = \boxed{}$

$88.4 \div 4 = \boxed{}$

$8.84 \div 4 = \boxed{}$

각 자리에서 나누어떨어지지 않는 (소수)÷(자연수)

[05~07] □ 안에 알맞은 수를 써넣으세요.

05 $19.2 \div 6 = \dfrac{192}{10} \div 6$

$= \dfrac{192 \div 6}{10}$

$= \dfrac{\boxed{}}{10}$

$= \boxed{}$

06 $17.2 \div 4 = \dfrac{172}{10} \div 4$

$= \dfrac{172 \div 4}{10}$

$= \dfrac{\boxed{}}{10}$

$= \boxed{}$

07 $21.6 \div 6 = \dfrac{216}{10} \div 6$

$= \dfrac{216 \div 6}{10}$

$= \dfrac{\boxed{}}{10}$

$= \boxed{}$

[08~15] 계산해 보세요.

08

$3)\overline{7\ 9.7\ 1}$

09

$8)\overline{6\ 5.2\ 8}$

10

$4)\overline{3\ 0.1\ 2}$

11

$6)\overline{3\ 5.3\ 4}$

12

$7)\overline{1\ 8.0\ 6}$

13

$9)\overline{3\ 3.7\ 5}$

14

$8)\overline{3\ 9.3\ 6}$

15

$6)\overline{4\ 7.3\ 4}$

3

소수의 나눗셈

6.48÷9를 분수의 나눗셈으로 바꾸어 계산해 볼게.

6.48은 소수 두 자리 수이므로 분모가 100인 분수로 바꿉니다.

$$6.48 \div 9 = \frac{648}{100} \div 9$$

$$= \frac{648 \div 9}{100}$$

$$= \frac{72}{100} = 0.72$$

◎ 몫이 1보다 작은 소수인 (소수)÷(자연수)

• 6.48÷9를 계산하기

(1) $6.48 \div 9 = \dfrac{648}{100} \div 9$

$= \dfrac{648 \div 9}{100}$

$= \dfrac{72}{100} = $ ❶

(2) $648 \div 9 = 72$

$\dfrac{1}{100}$ 배　　　$\dfrac{1}{100}$ 배

$6.48 \div 9 = $ ❷

(3)
```
      0.7 2
   9)6.4 8
     6 3
     ─────
       1 8
       1 8
     ─────
         0
```

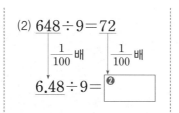

세로로 계산한 후 소수점을 올려 찍고 자연수 부분에 0을 써요.

◇ 정답　❶ 0.72　❷ 0.72

---

1 분수의 나눗셈으로 바꾸어 계산하려고 합니다. □ 안에 알맞은 수를 써넣으세요.

$0.78 \div 6 = \dfrac{78}{\square} \div 6 = \dfrac{78 \div 6}{\square} = \dfrac{\square}{\square} = \square$

2 □ 안에 알맞은 수를 써넣으세요.

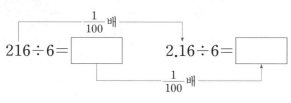

$\dfrac{1}{100}$ 배

$216 \div 6 = \square$　　$2.16 \div 6 = \square$

$\dfrac{1}{100}$ 배

[3~7] 계산해 보세요.

3
```
   9)7.3 8
```

4
```
   7)4.2 7
```

몫이 1보다 작으면 자연수 부분에 0을 써요.

5
```
   7)1.7 5
```

6
```
   8)2.5 6
```

7
```
   4)1.1 6
```

3

소수의 나눗셈

캬~ 시원하다.

나만 모르다니.

그래도 풀기 위해 노력했으니 너도 마셔라.

역시 스승님뿐입니다.

이제 좀 살 거 같아요. 스승님도 드세요.

그래.

헉, 얼마 남지 않았잖아!

너무 많이 마셨나?

그럼 이번엔 내가 문제를 내볼까? 8.6÷5를 계산해 봐.

이번엔 제가 풀어볼게요!

그럴래?

분수의 나눗셈으로 바꾸어 계산해 볼게요. 분모를 100으로 할게요.

$$8.6 \div 5 = \frac{860}{100} \div 5 = \frac{860 \div 5}{100} = \frac{172}{100} = 1.72$$

8.6을 $\frac{86}{10}$ 으로 하면 $86 \div 5$가 나누어떨어지지 않으므로 분모를 100으로 하여 $\frac{860}{100} \div 5$로 합니다.

지수는 정말 똑똑해. 쌍둥이인데 이렇게 다르다니!

뭐라고요?

준수는 저보다 운동도 잘 하고 친구들한테 인기도 많아요.

오! 지수는 마음까지 예쁘구나!

얼마 전에는 운동도 못 한다고 놀리더니!

◎ 소수점 아래 0을 내려 계산하는 (소수)÷(자연수)

• 8.6÷5를 계산하기

(1) $8.6 \div 5 = \dfrac{860}{100} \div 5$

$= \dfrac{860 \div 5}{100}$

$= \dfrac{172}{100}$

$= \boxed{❶}$

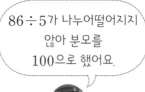

86÷5가 나누어떨어지지 않아 분모를 100으로 했어요.

(2) $860 \div 5 = 172$

$\downarrow \frac{1}{100}$배 $\downarrow \frac{1}{100}$배

$8.6 \div 5 = \boxed{❷}$

(3)
```
      1.7 2
   5)8.6 0
     5
     ───
     3 6
     3 5
     ───
       1 0
       1 0
       ───
         0
```

�➡ 정답 ❶ 1.72 ❷ 1.72

1 분수의 나눗셈으로 바꾸어 계산하려고 합니다. ☐ 안에 알맞은 수를 써넣으세요.

$$8.2 \div 5 = \dfrac{\boxed{}}{100} \div 5 = \dfrac{\boxed{} \div 5}{100} = \dfrac{\boxed{}}{100} = \boxed{}$$

2 ☐ 안에 알맞은 수를 써넣으세요.

$\frac{1}{100}$배

$580 \div 4 = 145$ $5.8 \div 4 = \boxed{}$

$\frac{1}{100}$배

[3~7] 계산해 보세요.

3
```
4)5.4
```

4
```
5)6.9
```

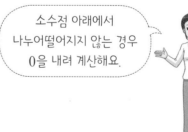

소수점 아래에서 나누어떨어지지 않는 경우 0을 내려 계산해요.

5
```
6)3.9
```

6
```
4)6.6
```

7
```
2)6.7
```

몫이 1보다 작은 소수인 (소수)÷(자연수)

[01~03] 분수의 나눗셈으로 바꾸어 계산하려고 합니다. □ 안에 알맞은 수를 써넣으세요.

01 $7.29 \div 9 = \dfrac{\boxed{}}{100} \div 9$

$= \dfrac{\boxed{} \div 9}{100}$

$= \dfrac{\boxed{}}{100}$

$= \boxed{}$

02 $4.41 \div 7 = \dfrac{\boxed{}}{100} \div 7$

$= \dfrac{\boxed{} \div 7}{100}$

$= \dfrac{\boxed{}}{100}$

$= \boxed{}$

03 $3.48 \div 4 = \dfrac{\boxed{}}{100} \div 4$

$= \dfrac{\boxed{} \div 4}{100}$

$= \dfrac{\boxed{}}{100}$

$= \boxed{}$

[04~07] 계산해 보세요.

04 $9 \overline{)1.2\ 6}$

05 $8 \overline{)5.9\ 2}$

06 $7 \overline{)6.4\ 4}$

07 $6 \overline{)5.2\ 2}$

소수점 아래 0을 내려 계산하는 (소수)÷(자연수)

[08~10] 분수의 나눗셈으로 바꾸어 계산하려고 합니다. □ 안에 알맞은 수를 써넣으세요.

08 $9.4 \div 4 = \dfrac{\boxed{}}{100} \div 4$

$= \dfrac{\boxed{} \div 4}{100}$

$= \dfrac{\boxed{}}{100}$

$= \boxed{}$

09 $4.5 \div 2 = \dfrac{\boxed{}}{100} \div 2$

$= \dfrac{\boxed{} \div 2}{100}$

$= \dfrac{\boxed{}}{100}$

$= \boxed{}$

10 $8.3 \div 5 = \dfrac{\boxed{}}{100} \div 5$

$= \dfrac{\boxed{} \div 5}{100}$

$= \dfrac{\boxed{}}{100}$

$= \boxed{}$

[11~14] 계산해 보세요.

11 $5 \overline{)7.8}$

12 $4 \overline{)8.6}$

13 $6 \overline{)7.5}$

14 $2 \overline{)5.3}$

3

소수의 나눗셈

너무 힘들어.

1.22 km 더 걸은 것 같은데 한 번 더 쉴까?

배고파~

초코바가 한 개 있지.

이 초코바를 나눠 먹자.

좋아요!

가로 길이가 8.2 cm인 초코바를 4명이 똑같이 나누어 먹으려면……

8.2÷4

노력하는 모습이 대견하구나. 내가 설명해줄게.

쓰담 쓰담

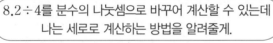

8.2÷4를 분수의 나눗셈으로 바꾸어 계산할 수 있는데 나는 세로로 계산하는 방법을 알려줄게.

$$
\begin{array}{r}
2.05 \\
4)\overline{8.20} \\
\underline{8} \\
20 \\
\underline{20} \\
0
\end{array}
$$

2를 내렸는데 2가 4보다 작아서 나눌 수 없으니까 몫에 0을 쓰고 0을 다시 내려서 계산합니다.

아~ 그렇구나!

이제 알겠니?

노력하는 모습이 아름다운 준수에게 초코바 줄게.

와~

?!

탁

내가 가르쳐 줬으니까 내가 먹어야겠어.

쩝

쩝

ㅜㅜ 너무 하심.

• 스피드 정답표 7쪽, 정답 30쪽   월   일

◎ 몫의 소수 첫째 자리에 0이 있는 (소수)÷(자연수)
 • 8.2÷4를 계산하기

(1) $8.2 ÷ 4 = \dfrac{820}{100} ÷ 4$

$= \dfrac{820 ÷ 4}{100}$

$= \dfrac{205}{100}$

$= $ ❶ ⬚

(2) $820 ÷ 4 = 205$

$\dfrac{1}{100}$배 $\dfrac{1}{100}$배

$8.2 ÷ 4 = $ ❷ ⬚

(3)
```
      2.0 5
   4)8.2 0
     8
     ─────
       2 0
       2 0
       ─────
          0
```

세로 계산 중 수를 하나 내렸지만 나누어야 할 수가 나누는 수보다 작을 경우에는 몫에 0을 쓰고 수를 하나 더 내려 계산해요.

○ 정답 ❶ 2.05 ❷ 2.05

1 분수의 나눗셈으로 바꾸어 계산하려고 합니다. □ 안에 알맞은 수를 써넣으세요.

$6.1 ÷ 2 = \dfrac{\boxed{}}{100} ÷ 2 = \dfrac{\boxed{} ÷ 2}{100} = \dfrac{\boxed{}}{100} = \boxed{}$

2 □ 안에 알맞은 수를 써넣으세요.

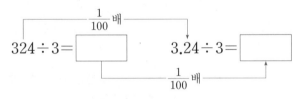

$\dfrac{1}{100}$배

$324 ÷ 3 = \boxed{}$ $3.24 ÷ 3 = \boxed{}$

$\dfrac{1}{100}$배

[3~7] 계산해 보세요.

3
```
  6)6.3
```

4
```
  5)5.2
```

소수점 아래에서 나누어 떨어지지 않는 경우 0을 내려 계산한다는 것을 기억해요.

5
```
  4)4.3 6
```

6
```
  6)6.1 8
```

7
```
  4)8.1 2
```

3

소수의 나눗셈

이제 1.22 km 더 가면 천문대 도착이야. 가면 별을 볼 수 있겠어.

배고파서 더 이상은 못 가겠어!

잠깐만!

벌러덩~

깜빡했어. 내가 소시지를 챙겨왔는데.

정말?

그런데 세 개밖에 없어.

소시지 3개를 4명이 똑같이 나누어 먹어야겠네.

3÷4의 몫을 소수로 나타내어 볼까?

$$3 \div 4 = \frac{3}{4}$$
$$= \frac{75}{100}$$
$$= 0.75$$

몫을 분수로 먼저 나타내고 분수를 소수로 나타내었습니다.

$$\begin{array}{r} 0.75 \\ 4\overline{)3.00} \\ \underline{2\ 8} \\ 2\ 0 \\ \underline{2\ 0} \\ 0 \end{array}$$

몫의 소수점은 자연수 바로 뒤에서 올려서 찍습니다.

오~ 준수가 문제를 풀다니!

훗

오~ 대단해!

하 하 하 으쓱 으쓱

쩝 쩝

흑

왜 그러세요?

너무 맛있어. 집에 돌아갈 때 몇 개 챙겨줘!

하 하

알겠어요.

이렇게 맛있을 수가!

오물 오물

저기, 천문대가 보여!

와~ 드디어 도착했어!

◎ (자연수)÷(자연수)의 몫을 소수로 나타내기

・3÷4의 몫을 소수로 나타내기

몫의 소수점은 자연수 바로 뒤에서 올려서 찍어요.

(1) $3÷4=\dfrac{3}{4}$

$=\dfrac{\boxed{①}}{100}$

$=\boxed{②}$

(2) $300÷4=75$

$\dfrac{1}{100}$배 $\dfrac{1}{100}$배

$3÷4=\boxed{③}$

(3)
```
     0.7 5
4 ) 3.0 0
    2 8
      2 0
      2 0
        0
```

◎ 정답 ① 75 ② 0.75 ③ 0.75

1 나눗셈의 몫을 소수로 나타내려고 합니다. □ 안에 알맞은 수를 써넣으세요.

$$9÷5=\dfrac{9}{\boxed{}}=\dfrac{\boxed{}}{10}=\boxed{}$$

2 □ 안에 알맞은 수를 써넣으세요.

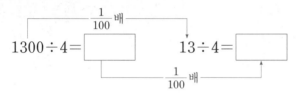

$\dfrac{1}{100}$배

$1300÷4=\boxed{}$ $13÷4=\boxed{}$

$\dfrac{1}{100}$배

[3~7] 계산해 보세요.

3
```
5 ) 2 2
```

4
```
16 ) 1 2
```

5
```
4 ) 9
```

6
```
5 ) 7
```

7
```
8 ) 3
```

소수점 아래에서 내릴 수가 없으면 0을 내려 계산해요.

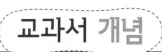

몫의 소수점의 위치를 어떻게 확인하나요?

저기 목성이 보인다!

목성을 아는구나?

북극성도 보여요!

오늘 구름도 없어서 별이 잘 보이네.

샤랄라~ 아름다운 밤이에요~.

정말 좋구나~. 이렇게 아름다운 별을 관측하게 도와줘서 고마워.

그럼 이제 정말 제가 스승님의 제자가 된 거죠?

그럼 19.6÷4를 어림해서 한 번 풀어보렴.

또요?

19.6을 반올림해봐.

알았어.

19.6은 20에 가까우니까 20÷4=5라고 생각할 수 있어.

$$19.6 \div 4$$

어림 20÷4 ⇨ 약 5

몫 4.9

↑
몫의 소수점의 위치를 찾아 소수점을 찍습니다.

오~ 조금씩 발전하고 있군.

별 구경 다 했으면 이제 내려 갈까?

설마 걸어서 내려 가는 건 아니죠?

걱정 마. 이장님이 데리러 오셨어.

예~ 빨리 가요!

◎ 몫의 소수점의 위치를 찾기

• $19.6 \div 4$를 어림하여 계산하기 ⇨ $20 \div 4 = 5$

19.6은 19보다 20에
가깝기 때문에
19.6을 ❶[   ]으로 어림해요.

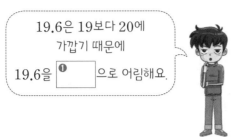

• 어림셈하여 몫의 소수점을 찍기

$$19.6 \div 4$$

어림 $20 \div 4$ ⇨ 약 ❷[   ]

몫   4.9
└─ 어림셈하여 구한 몫과 가까운 수가 되도록
몫의 소수점의 위치를 찾아 소수점을 찍습니다.
⊙ 정답 ❶ 20 ❷ 5

[1~4] 어림셈하여 몫의 소수점의 위치를 찾아 소수점을 찍어 보세요.

1 $39.4 \div 4$

어림 [   ] ÷ [   ] ⇨ 약 [   ]

몫 9□8□5

2 $21.6 \div 5$

어림 [   ] ÷ [   ] ⇨ 약 [   ]

몫 4□3□2

3 $81.2 \div 7$

어림 [   ] ÷ [   ] ⇨ 약 [   ]

몫 1□1□6

4 $61.2 \div 3$

어림 [   ] ÷ [   ] ⇨ 약 [   ]

몫 2□0□4

5 지수의 어림셈을 이용하여 올바른 식에 ◯표 하세요.

93.8÷7을 어림하여 계산하면
94÷7은 약 13입니다.

$93.8 \div 7 = 1.34$ $93.8 \div 7 = 13.4$ $93.8 \div 7 = 134$

3
소수의 나눗셈

몫의 소수 첫째 자리에 0이 있는 (소수)÷(자연수)

[01~04] 계산해 보세요.

01
$5\overline{)5.3}$

02
$4\overline{)4.2}$

03
$2\overline{)6.1\,4}$

04
$3\overline{)9.1\,5}$

[05~08] 빈칸에 알맞은 수를 써넣으세요.

05
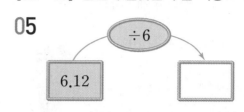

06
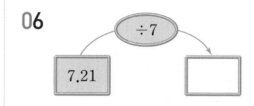

07
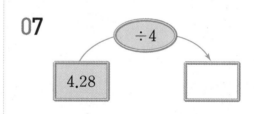

08
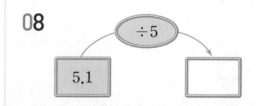

(자연수)÷(자연수)의 몫을 소수로 나타내기

[09~13] 보기 와 같은 방법으로 몫을 구하세요.

보기
$$5 \div 4 = \frac{5}{4} = \frac{125}{100} = 1.25$$

09 $6 \div 5$

10 $3 \div 2$

11 $9 \div 2$

12 $15 \div 2$

13 $4 \div 25$

몫을 어림하기

[14~18] 보기 와 같이 소수를 반올림하여 일의 자리까지 나타내어 어림한 식으로 나타내어 보세요.

보기
$$3.78 \div 4 \Rightarrow 4 \div 4$$

14 $32.8 \div 5 \Rightarrow$

15 $5.94 \div 6 \Rightarrow$

16 $20.3 \div 4 \Rightarrow$

17 $16.41 \div 8 \Rightarrow$

18 $35.1 \div 7 \Rightarrow$

3

소수의 나눗셈

01 □ 안에 알맞은 수를 써넣으세요.

> 리본 6.99 m를 3명에게 똑같이 나누어 주려고 합니다.
> 1 m=100 cm이므로 6.99 m=699 cm입니다.
> 699÷3= ☐ , 한 사람에게 줄 수 있는 리본은
> ☐ cm이므로 ☐ m입니다.

Tip

100 cm가 1 m임을 기억해요.

02 자연수의 나눗셈을 이용하여 소수의 나눗셈을 해 보세요.

(1) 886÷2=443

88.6÷2= ☐

8.86÷2= ☐

(2) 669÷3=223

66.9÷3= ☐

6.69÷3= ☐

03 보기 와 같은 방법으로 계산해 보세요.

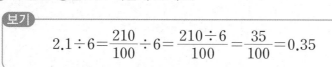

보기

$$2.1 \div 6 = \frac{210}{100} \div 6 = \frac{210 \div 6}{100} = \frac{35}{100} = 0.35$$

(1) 1.59÷6

(2) 2.76÷8

• 보기 의 방법은 소수의 나눗셈을 분수의 나눗셈으로 바꾸어 계산한 것입니다.

04 계산해 보세요.

(1)
$$3 \overline{)2.7\ 3}$$

(2)
$$3 \overline{)0.8\ 4}$$

05 빈칸에 알맞은 수를 써넣으세요.

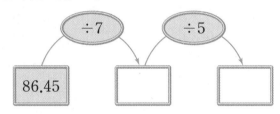

$÷7$　　$÷5$

86.45　　□　　□

06 계산 결과를 비교하여 ○ 안에 >, =, <를 알맞게 써넣으세요.

(1) $4.16 ÷ 8$ ○ $2.08 ÷ 4$

(2) $4.56 ÷ 8$ ○ $2.49 ÷ 3$

3

소수의 나눗셈

07 계산해 보세요.

(1)

$$3 \overline{)6.1\,2}$$

(2)

$$4 \overline{)4\,9}$$

Tip

49÷4를 세로로 계산할 때 더 이상 계산할 수 없을 때까지 내림하고 내릴 수가 없으면 0을 내려 계산해요.

08 계산이 <u>잘못된</u> 곳을 찾아 바르게 계산해 보세요.

$$
\begin{array}{r}
2.8 \\
4\overline{)8.3\,2} \\
\underline{8} \\
3\,2 \\
\underline{3\,2} \\
0
\end{array}
\Rightarrow
\boxed{4\overline{)8.3\,2}}
$$

• 3이 4보다 작으므로 몫의 소수 첫째 자리에 0을 써야 합니다.

09 빈칸에 알맞은 수를 써넣으세요.

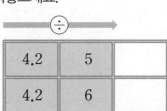

| 4.2 | 5 | |
| 4.2 | 6 | |

• 소수점 아래에서 나누어떨어지지 않는 경우 0을 내려서 계산합니다.

(예)

$$
\begin{array}{r}
0.8\,6 \\
5\overline{)4.3\,0} \\
\underline{4\,0} \\
3\,0 \\
\underline{3\,0} \\
0
\end{array}
$$

10 몫을 어림하여 몫이 1보다 큰 나눗셈을 모두 찾아 ◯표 하세요.

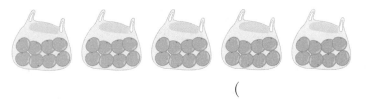

$$3.04 \div 4 \qquad 3.27 \div 3 \qquad 3.92 \div 4 \qquad 3.36 \div 3$$

Tip

· 나누어지는 수와 나누는 수의 크기를 비교하면 몫이 1보다 큰지 작은지 어림할 수 있습니다.

11 무게가 같은 귤이 한 봉지에 8개씩 들어 있습니다. 5봉지의 무게가 7 kg일 때 귤 한 개의 무게는 몇 kg인지 구하세요.

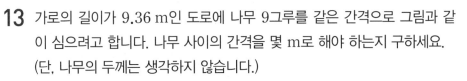

(   )

· 한 봉지의 무게를 먼저 구한 후, 귤 한 개의 무게를 구합니다.

12 가로가 2 m, 세로가 3 m인 직사각형 모양의 벽을 칠하는 데 페인트 16.2 L를 사용했습니다. 1 m²의 벽을 칠하는 데 사용한 페인트는 몇 L일까요?

(   )

벽의 넓이를 먼저 구해요.

3

소수의 나눗셈

13 가로의 길이가 9.36 m인 도로에 나무 9그루를 같은 간격으로 그림과 같이 심으려고 합니다. 나무 사이의 간격을 몇 m로 해야 하는지 구하세요. (단, 나무의 두께는 생각하지 않습니다.)

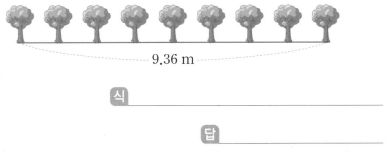

9.36 m

식

답

· (간격의 수)=(나무의 수)−1

[01~02] 분수의 나눗셈으로 바꾸어 계산하려고 합니다. □ 안에 알맞은 수를 써넣으세요.

01 $43.2 \div 6 = \dfrac{\boxed{}}{10} \div 6$

$ = \dfrac{\boxed{} \div 6}{10}$

$ = \dfrac{\boxed{}}{10}$

$ = \boxed{}$

02 $6.76 \div 13 = \dfrac{\boxed{}}{100} \div 13$

$ = \dfrac{\boxed{} \div 13}{100}$

$ = \dfrac{\boxed{}}{100}$

$ = \boxed{}$

03 □ 안에 알맞은 수를 써넣으세요.

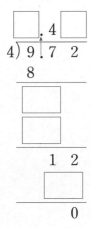

[04~05] 계산해 보세요.

04
$$3 \overline{)6.2\,4}$$

05
$$5 \overline{)9.2\,5}$$

06 보기 와 같이 소수를 분수로 고쳐서 계산하세요.

> 보기
> $$8.4 \div 8 = \frac{840}{100} \div 8 = \frac{840 \div 8}{100} = \frac{105}{100} = 1.05$$

$8.1 \div 6$

[07~08] 자연수의 나눗셈을 이용하여 소수의 나눗셈을 해 보세요.

07 $618 \div 6 = 103 \quad \Rightarrow \quad 6.18 \div 6 = \boxed{}$

08 $535 \div 5 = 107 \quad \Rightarrow \quad 5.35 \div 5 = \boxed{}$

[09~10] 나머지가 0이 될 때까지 계산해 보세요.

09
$5\overline{)9.3}$

10
$4\overline{)7.4}$

11 빈칸에 알맞은 수를 써넣으세요.

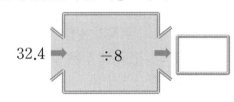

32.4 ➡ ÷8 ➡ ☐

12 다음 중 몫의 소수 첫째 자리 숫자가 0인 나눗셈 식은 어느 것일까요? ·············· (   )

① 24.53÷11   ② 118.8÷9
③ 84.28÷14   ④ 36.55÷17
⑤ 38.4÷6

13 어림셈하여 몫의 소수점의 위치를 찾아 소수점을 찍어 보세요.

29.88÷9

어림 ☐ ÷ ☐ ⇨ 약 ☐

몫 3☐3☐2

14 계산이 <u>잘못된</u> 곳을 찾아 바르게 계산해 보세요.

$$5\overline{)3.7}\ \ \ \begin{array}{r} 7.4 \\ \hline 3.7 \\ 3\ 5 \\ \hline 2\ 0 \\ 2\ 0 \\ \hline 0 \end{array}$$
⇨
$5\overline{)3.7}$

3
소수의 나눗셈

15 몫이 가장 작은 나눗셈식에 ○표 하세요.

| 17.4÷4 | 15.72÷8 | 19.6÷28 |

16 계산 결과를 비교하여 ○ 안에 >, =, <를 알맞게 써넣으세요.

$$91.8÷12 \bigcirc 78.43÷11$$

17 빈칸에 알맞은 소수를 써넣으세요.

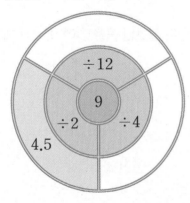

18 평행사변형의 넓이가 184.2 cm²입니다. □ 안에 알맞은 수를 써넣으세요.

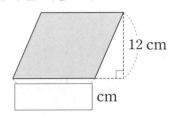

12 cm

cm

19 어떤 수에 8을 곱했더니 13.92가 되었습니다. 어떤 수를 구하세요.

(   )

20 수 카드 1 , 2 , 6 , 9 중 3장을 골라 가장 작은 소수 두 자리 수를 만들고, 남은 수 카드의 수로 나누었을 때 몫은 얼마인지 식을 쓰고 답을 구하세요.

식

답

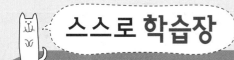

스스로 학습장은 이 단원에서 배운 것을 확인하는 코너입니다.
몰랐던 것은 꼭 다시 공부해서 내 것으로 만들어 보아요.

• 스피드 정답표 8쪽, 정답 33쪽

✳ 6학년 1반 나천재 친구가 본 쪽지시험입니다. 맞은 문제는 ○표, 틀린 문제는 /표 하고 바르게 고쳐 보세요.

쪽지시험	___6___ 학년 ___1___ 반 ___10___ 번 이름 ___나천재___

✳ [1~9] 계산해 보세요.

1 ○
```
        1.4 6
    6 ) 8.7 6
        6
        2 7
        2 4
          3 6
          3 6
             0
```

2 /
```
          9 2
    7 ) 6.4 4
        6 3
          1 4
          1 4
             0
```

3
```
        2.7 3
    3 ) 8.1 9
        6
        2 1
        2 1
           9
           9
           0
```

4
```
         1.8
    8 ) 1.4 4
        8
        6 4
        6 4
           0
```

5
```
         5.8
    3 ) 1.7 4
        1 5
          2 4
          2 4
             0
```

6
```
        0.3 6
    6 ) 2.1 6
        1 8
          3 6
          3 6
             0
```

7
```
        1.9 1
    3 ) 5.7 3
        3
        2 7
        2 7
           3
           3
           0
```

8
```
        0.8 5
    2 ) 1.7
        1 6
          1 0
          1 0
             0
```

9
```
        1.0 5
    8 ) 8.4
        8
          4 0
          4 0
             0
```

3

소수의 나눗셈

4

비와 비율

QR 코드를 찍으면
4단원 개념 동영상
강의를 볼 수 있어요.

이번에 배울 내용

- 두 수를 비교하기
- 비와 비율 알아보기
- 비율이 사용되는 경우 알아보기
- 백분율 알아보기
- 백분율이 사용되는 경우 알아보기

걱정 마! 오늘은 내가 요리사가 되어줄게.

와~

으~ 안 좋은 기억이 떠오른다!

윽, 이게 무슨 맛이야?

지금은 그때와 달라.

그럼 실력을 발휘해 볼까?

그럼 우린 그동안 복습 좀 해볼까?

또요?

$\frac{4}{25}$, $\frac{7}{10}$

통분하는 거 알지? 맞히면 바로 제자로 삼아주지.

좋아요!

으~ 너무 어려워!

걱정 마. 내가 해결해 줄게~.

?!

분수의 분모를 같게 하는 것을 통분한다고 하고 통분한 분모를 공통분모라고 해.

$$\left(\frac{4}{25}, \frac{7}{10}\right) \Rightarrow \left(\frac{8}{50}, \frac{35}{50}\right)$$

25와 10의 최소공배수는 50

두 분모의 최소공배수를 공통분모로 하여 통분했습니다.

음……. 역시, 넌 내 제자가 될 자격이 충분해.

뭐래!

1 크기가 같은 분수를 만들려고 합니다. □ 안에 알맞은 수를 써넣으세요.

(1) $\dfrac{6}{7} = \dfrac{\boxed{}}{14} = \dfrac{18}{\boxed{}} = \dfrac{\boxed{}}{28}$

(2) $\dfrac{20}{48} = \dfrac{\boxed{}}{24} = \dfrac{\boxed{}}{12}$

> **개념 체크 ①** ◀ 5학년 1학기 4단원
>
> **크기가 같은 분수**
> - 분모와 분자에 각각 0이 아닌 같은 수를 곱하면 크기가 같은 분수가 됩니다.
> - 분모와 분자를 각각 0이 아닌 같은 수로 나누면 크기가 같은 분수가 됩니다.

2 $\dfrac{48}{72}$ 을 약분하려고 합니다. 분모와 분자를 나눌 수 <u>없는</u> 수를 모두 찾아 ×표 하세요.

| 2 | 3 | 5 | 6 | 8 | 9 | 12 |

> **개념 체크 ②** ◀ 5학년 1학기 4단원
>
> **약분**
> 분모와 분자를 공약수로 나누어 간단히 하는 것입니다.
>
> 예 $\dfrac{\overset{12}{\cancel{24}}}{\underset{15}{\cancel{30}}} = \dfrac{12}{15}$, $\dfrac{\overset{8}{\cancel{24}}}{\underset{10}{\cancel{30}}} = \dfrac{8}{10}$

3 분수를 기약분수로 나타내려고 합니다. □ 안에 알맞은 수를 써넣으세요.

(1) $\dfrac{24}{32} = \dfrac{24 \div \boxed{}}{32 \div \boxed{}} = \dfrac{\boxed{}}{\boxed{}}$

(2) $\dfrac{36}{48} = \dfrac{36 \div \boxed{}}{48 \div \boxed{}} = \dfrac{\boxed{}}{\boxed{}}$

> **개념 체크 ③** ◀ 5학년 1학기 4단원
>
> **기약분수로 나타내기**
> 분모와 분자를 최대공약수로 한 번 나누면 기약분수가 됩니다.
> └▶ 분모와 분자의 공약수가 1뿐인 분수

4 $\dfrac{7}{8}$ 과 $\dfrac{9}{10}$ 를 두 가지 방법으로 통분해 보세요.

(1) 두 분모의 곱을 공통분모로 하여 통분해 보세요.

$$\left(\dfrac{7}{8},\ \dfrac{9}{10} \right) \Rightarrow \left(\qquad ,\qquad \right)$$

(2) 두 분모의 최소공배수를 공통분모로 하여 통분해 보세요.

$$\left(\dfrac{7}{8},\ \dfrac{9}{10} \right) \Rightarrow \left(\qquad ,\qquad \right)$$

[5~7] 올해 언니의 나이는 12살이고 동생의 나이는 7살입니다. 언니의 나이와 동생의 나이 사이의 대응 관계를 알아보세요.

5 언니의 나이와 동생의 나이가 어떻게 변하는지 표를 완성해 보세요.

언니의 나이(살)	12	13	14	15	16	17
동생의 나이(살)	7	8	9			

6 동생이 11살이면 언니는 몇 살일까요?

( )

7 언니의 나이를 ○, 동생의 나이를 □라고 할 때 두 양 사이의 대응 관계를 식으로 나타내어 보세요.

식

개념 체크 **4** ◀ 5학년 1학기 4단원

통분

분수의 분모를 같게 하는 것을 통분한다고 하고 통분한 분모를 공통분모라고 합니다.

예 $\left(\dfrac{3}{4},\ \dfrac{2}{5} \right) \Rightarrow \left(\dfrac{15}{20},\ \dfrac{8}{20} \right)$

개념 체크 **5** ◀ 5학년 1학기 3단원

두 양 사이의 관계

표를 통하여 두 양 사이의 관계를 알아볼 수 있습니다.

개념 체크 **6** ◀ 5학년 1학기 3단원

언니는 동생보다 몇 살 더 많은지 알아봅니다.

개념 체크 **7** ◀ 5학년 1학기 3단원

대응 관계를 식으로 나타내기

두 양 사이의 대응 관계를 ○, □ 등과 같은 기호를 사용하여 식으로 나타내어 봅니다.

4

비와 비율

음…….
내가 준수의 실력을
너무 높게 봤군.

조금 전엔 배가 너무 고파서
제대로 풀지 못한 거라고요.

핑계는…….

그럼 이 문제를
한번 풀어볼래?

남학생 4명, 여학생 2명으로 한 모둠을
구성했을 때 남학생 수와 여학생 수를
비교해 보겠니?

남학생이 4명일 때 여학생이 2명이므로
남학생 수는 여학생 수의 2배네요.

모둠 수	1	2	3	4
남학생 수(명)	4	8	12	16
여학생 수(명)	2	4	6	8

⇨ (남학생 수)÷(여학생 수)＝2이므로
남학생 수는 여학생 수의 2배입니다.

오호~ 이번엔
제대로 했구나.

브이~

이제 제자로
받아주시는 거죠?

헤헤

글쎄~.

좀 전에 문제 맞히면
제자로 받아주신다고
했잖아요.

그럼 통분을
풀었어야지.

으~ 순 엉터리야.

뜨악!

◎ 두 수를 비교하기

- 남학생 4명, 여학생 2명으로 한 모둠을 구성할 때 모둠 수에 따른 남학생 수와 여학생 수 비교하기

모둠 수	1	2	3	4
남학생 수(명)	4	8	12	16
여학생 수(명)	2	4	6	❶

⇨ (남학생 수)÷(여학생 수)=2이므로 남학생 수는 여학생 수의

❷ 배입니다.

모둠 수에 따른 남학생 수와 여학생 수를 뺄셈으로 비교하면 남학생은 여학생보다 각각 2명, 4명, 6명, 8명이 더 많아요.

❖ 정답 ❶ 8 ❷ 2

1 선생님께서 한 모둠에 지점토를 2개씩 나누어 주신다고 합니다. 한 모둠이 6명일 때 모둠 수에 따른 학생 수와 지점토 수를 비교해 보세요.

(1) 모둠 수에 따른 학생 수와 지점토 수에 맞게 표를 완성해 보세요.

모둠 수	1	2	3	4	5	……
학생 수(명)	6	12	18	24	30	……
지점토 수(개)	2	4				……

(2) 모둠 수에 따른 학생 수와 지점토 수를 뺄셈으로 비교해 보세요.

　모둠 수에 따라 학생 수는 지점토 수보다 각각 [　]개, [　]개, [　]개, [　]개, [　]개가 더 많습니다.

(3) 모둠 수에 따른 학생 수와 지점토 수를 나눗셈으로 비교해 보세요.

학생 수는 지점토 수의 [　]배입니다.

2 500원짜리 동전 수에 따른 바꿀 수 있는 100원짜리 동전 수를 나타낸 표를 완성하고 □ 안에 알맞은 수를 써넣으세요.

500원짜리 동전 수(개)	1	2	3	4
100원짜리 동전 수(개)	5	10		

100원짜리 동전 수는 500원짜리 동전 수의 [　]배입니다.

100원짜리 동전 수는 500원짜리 동전 수의 몇 배일까?

100원짜리 동전 수를 500원짜리 동전 수로 나누어 알아볼게요.

고모, 무슨 일이야?

으~ 기억이 안 나!

무슨 기억?

떡볶이 양념을 만들 때 고추장과 간장의 비가 몇 대 몇이었지……

끄응

비?

두 수를 나눗셈으로 비교하기 위해 기호 : 을 사용하여 나타낸 것을 비라고 해.

두 수 3과 2를 비교하기

3 : 2는
- 3 대 2
- 3과 2의 비
- 3의 2에 대한 비
- 2에 대한 3의 비

3 : 2인가?
2 : 3인가?

그럼 그렇지!
오늘 안에 먹을 수는 있는 거야?

멈칫!

이 녀석,
넌 먹지마!

첫!

전 너무
기대되는 거 있죠?

하
하

샤샥

어머~ 그렇게
기대하신단 말이죠?

호호

하
하

뭐지, 이
분위기는……

♪
룰루~
♪

◎ 비 알아보기

• 두 수를 나눗셈으로 비교하기 위해 기호 : 을 사용하여 나타낸 것을 비라고 합니다.

• 두 수 3과 2를 비교할 때 3 : 2라 씁니다.

기호 : 의 오른쪽에 있는 수가 기준이에요.

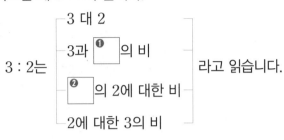

3 : 2는

- 3 대 2
- 3과 ❶□ 의 비
- ❷□ 의 2에 대한 비
- 2에 대한 3의 비

라고 읽습니다.

↻ 정답 ❶ 2 ❷ 3

4

비
와
비
율

[1~2] □ 안에 알맞은 수를 써넣으세요.

▲ : ■ 는 여러 가지 방법으로 읽을 수 있어요.

1 3과 4의 비 ⇨ □ : □

▲ : ■
- ▲ 대 ■
- ▲와 ■의 비
- ▲의 ■에 대한 비
- ■에 대한 ▲의 비

2 6에 대한 2의 비 ⇨ □ : □

[3~4] 비를 여러 가지 방법으로 나타내려고 합니다. □ 안에 알맞은 수를 써넣으세요.

3

6 : 7

- 6 대 7
- □과 □의 비
- 6의 7에 대한 비
- □에 대한 □의 비

4

3 : 8

- □ 대 □
- □과 □의 비
- 3의 8에 대한 비
- □에 대한 □의 비

5 남학생 4명, 여학생 6명이 있습니다. 남학생 수와 여학생 수를 비교하려고 합니다. □ 안에 알맞은 수를 써넣으세요.

남학생	여학생
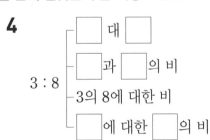	

(1) 남학생 수와 여학생 수의 비는 □ : □ 이라 쓰고 □ 대 □ 이라고 읽습니다.

(2) 이것을 □와 □의 비, □의 □에 대한 비, □에 대한 □의 비라고도 읽습니다.

두 수를 비교하기

[01~03] 준희네 학교 6학년 학생들을 여학생 6명, 남학생 3명을 한 모둠으로 구성하려고 합니다. 물음에 답하세요.

01 모둠 수에 따른 여학생 수와 남학생 수에 맞게 표를 완성하세요.

모둠 수	1	2	3	4	5
여학생 수(명)	6	12	18		
남학생 수(명)	3	6	9		

02 모둠 수에 따른 여학생 수와 남학생 수를 뺄셈으로 비교해 보세요.

$6-3=3$, $12-6=$ ☐, $18-9=$ ☐ ······이므로 모둠 수에 따라 여학생은 남학생보다 3명, ☐명, ☐명······더 많습니다.

03 모둠 수에 따른 여학생 수와 남학생 수를 나눗셈으로 비교해 보세요.

$6÷3=2$, $12÷6=$ ☐, $18÷9=$ ☐ ······이므로 여학생 수는 남학생 수의 ☐배입니다.

비 알아보기

[04~06] 그림을 보고 ☐ 안에 알맞은 수를 써넣으세요.

04

(1) 사과 수와 감 수의 비
⇨ ☐ : ☐

(2) 감 수와 사과 수의 비
⇨ ☐ : ☐

05

(1) 사과 수에 대한 귤 수의 비
⇨ ☐ : ☐

(2) 사과 수와 귤 수의 비
⇨ ☐ : ☐

06

(1) 사과 수와 감 수의 비
⇨ ☐ : ☐

(2) 사과 수의 감 수에 대한 비
⇨ ☐ : ☐

[07~11] □ 안에 알맞은 수를 써넣으세요.

07 3 대 9 ⇨ ☐ : ☐

08 16에 대한 11의 비 ⇨ ☐ : ☐

09 8의 5에 대한 비 ⇨ ☐ : ☐

10

17 : 10

☐ 대 ☐

☐ 과 ☐ 의 비

☐ 의 ☐ 에 대한 비

☐ 에 대한 ☐ 의 비

11

24 : 13

☐ 대 ☐

☐ 와 ☐ 의 비

☐ 의 ☐ 에 대한 비

☐ 에 대한 ☐ 의 비

[12~16] 전체에 대한 색칠한 부분의 비를 구하세요.

12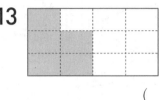

(　　　　　　)

13

(　　　　　　)

14

(　　　　　　)

15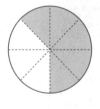

(　　　　　　)

16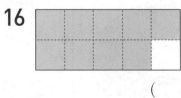

(　　　　　　)

4

비
와
비
율

드디어 양념 완성!

물과 양념을 넣고 끓여주면 끝~.

와~.

보글 보글

읍, 짜!

컥

그럼 물을 더 넣어요.

그럴까?

물을 국자로 계속 넣어볼게.

너무 많이 넣는 거 같은데…….

물에 대한 양념의 비율이 $\frac{10}{20}$ 이라고 책에서 본 것 같아.

비율은 또 뭐지…….

기준량에 대한 비교하는 양의 크기를 비율이라고 해.

비 10 : 20에서 기준량은 20, 비교하는 양은 10입니다.

$$(비율) = (비교하는 양) \div (기준량) = \frac{(비교하는 양)}{(기준량)}$$

⇨ 비 10 : 20을 비율로 나타내면 $\frac{10}{20}$ 또는 0.5

다 됐다!

와~

잘 먹겠습니다~.

읍, 이 맛은?

◎ 비율 알아보기

- 기준량: 비에서 기호 : 의 오른쪽에 있는 수
- 비교하는 양: 비에서 기호 : 의 왼쪽에 있는 수

$$\underset{\text{비교하는 양}}{10} : \underset{\text{기준량}}{20}$$

- 비율: 기준량에 대한 비교하는 양의 크기

$$(\text{비율}) = (\text{비교하는 양}) \div (\text{기준량}) = \frac{(\text{비교하는 양})}{(\text{기준량})}$$

⇨ 비 10 : 20을 비율로 나타내면 $\dfrac{\boxed{\textbf{❶}}}{20}$ 또는 0.5입니다.

비 5 : 7에서

기준량은 $\boxed{\textbf{❷}}$ 이고

비교하는 양은 $\boxed{\textbf{❸}}$ 이지요.

◐ 정답 ❶ 10 ❷ 7 ❸ 5

4

비와 비율

---

1 직사각형 모양 액자가 2개 있습니다. 세로에 대한 가로의 비율을 분수와 소수로 각각 나타내어 보세요.

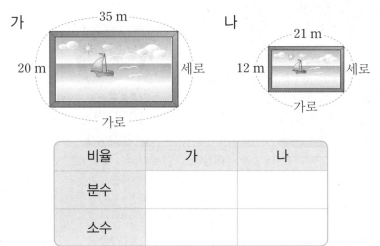

비율	가	나
분수		
소수		

[2~3] 그림을 보고 축구공 수에 대한 야구공 수의 비율을 분수와 소수로 각각 나타내어 보세요.

2

분수 (   )
소수 (   )

비 ▲ : ■의 비율을 분수로 어떻게 나타내지?

▲가 비교하는 양, ■가 기준량이니까 $\dfrac{▲}{■}$로 나타내요.

3

분수 (   )
소수 (   )

어때요?

아무 맛이 나질 않아요!

으, 이게 무슨 맛이야!

컥

흑흑, 물을 너무 많이 넣었나봐.

내가 뭐랬어.

후룩

후룩

?!

꺼억~ 배고픈 거보단 낫잖아.

저는 배고픈 게 나아요.

꺼억~

어머! 그래도 먹을만했나 봐요.

하하…… 그게…….

다른 음식을 또 해볼까?

괜찮습니다.

하 하

얘들아, 그런데 우리 생활에서 비율이 사용되는 경우를 알아볼까?

이 상황에 또 수학을?!

크크

오~ 역시 지수는 똑똑하단 말이야!

에헴!

척

쳇!

걸린 시간에 대한 간 거리의 비율을 구하는 경우가 있어요.

- 걸린 시간에 대한 간 거리의 비율

  2시간 동안 200 km를 달린 자동차의 걸린 시간에 대한 간 거리의 비율

  비교하는 양: 간 거리

  $\Rightarrow \dfrac{200}{2}(=100)$

  기준량: 걸린 시간

◎ 비율이 사용되는 경우

• 걸린 시간에 대한 간 거리의 비율

　예 2시간 동안 200 km를 달린 자동차의 걸린 시간에 대한 간 거리의 비율

　　　　　　비교하는 양: 간 거리

　⇨ $\dfrac{200}{2}(=100)$

　　　기준량: 걸린 시간

• 물감 양의 비율

　예 흰색 물감 200 mL와 검은색 물감 10 mL를 섞어 회색을 만들었을 때 흰색 물감 양에 대한 검은색 물감 양의 비율

　⇨ $\dfrac{10}{200}\left(=\dfrac{❶}{100}=0.05\right)$

◯ 정답 ❶ 5

[1~2] 어느 지역의 인구와 넓이를 조사한 표입니다. 두 지역의 넓이에 대한 인구의 비율을 구하세요.

지역	가	나
인구(명)	92300	799500
넓이(km^2)	710	650

1 가 지역의 넓이에 대한 인구의 비율은 얼마일까요?

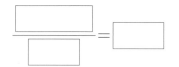

기준량은 넓이이고 비교하는 양은 인구입니다.

2 나 지역의 넓이에 대한 인구의 비율은 얼마일까요?

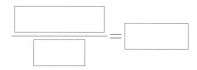

[3~4] 흰색 물감과 빨간색 물감을 섞어 분홍색을 만들었습니다. 누가 만든 분홍색이 더 진한지 구하세요.

	본혁	승하
흰색(mL)	200	250
빨간색(mL)	8	15

3 두 사람이 만든 분홍색에서 흰색 물감 양에 대한 빨간색 물감 양의 비율을 각각 소수로 나타내어 보세요.

　　　　　　　　본혁 (　　　　　　　　　), 승하 (　　　　　　　　　)

4 누가 만든 분홍색이 더 진할까요?

　　　　　　　　　　　　　　　　　　　　　　　(　　　　　　　　　)

비율 알아보기

[01~04] 비를 보고 기준량과 비교하는 양을 쓰고 비율을 분수로 나타내어 보세요.

01

5 : 9	비교하는 양	
	기준량	
	비율	

02

14 : 15	비교하는 양	
	기준량	
	비율	

03

11 : 20	비교하는 양	
	기준량	
	비율	

04

13 : 17	비교하는 양	
	기준량	
	비율	

[05~08] 직사각형의 세로에 대한 가로의 비율을 분수와 소수로 나타내어 보세요.

05

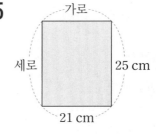

세로 25 cm, 가로 21 cm

분수 (   )
소수 (   )

06

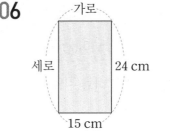

세로 24 cm, 가로 15 cm

분수 (   )
소수 (   )

07

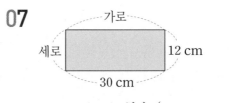

세로 12 cm, 가로 30 cm

분수 (   )
소수 (   )

08

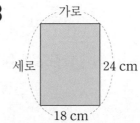

세로 24 cm, 가로 18 cm

분수 (   )
소수 (   )

비율이 사용되는 경우

[09~12] 자동차가 간 거리와 걸린 시간을 나타낸 것을 보고 걸린 시간에 대한 간 거리의 비율을 구하세요.

09

A 자동차	걸린 시간(시간)	간 거리(km)
	5	440

$$\frac{\boxed{}}{\boxed{}} = \boxed{}$$

10

B 자동차	걸린 시간(시간)	간 거리(km)
	5	400

$$\frac{\boxed{}}{\boxed{}} = \boxed{}$$

11

C 자동차	걸린 시간(시간)	간 거리(km)
	3	528

$$\frac{\boxed{}}{\boxed{}} = \boxed{}$$

12

D 자동차	걸린 시간(시간)	간 거리(km)
	4	352

$$\frac{\boxed{}}{\boxed{}} = \boxed{}$$

[13~14] 지역의 인구와 넓이를 보고 넓이에 대한 인구의 비율을 구하세요.

13

가 지역	인구(명)	넓이(km²)
	81000	540

$$\frac{\boxed{}}{\boxed{}} = \boxed{}$$

14

나 지역	인구(명)	넓이(km²)
	210000	600

$$\frac{\boxed{}}{\boxed{}} = \boxed{}$$

[15~16] 매실 원액 양과 매실주스 양을 보고 매실 주스 양에 대한 매실 원액 양의 비율을 구하세요.

15

매실주스 양(mL)	매실 원액 양(mL)
250	80

$$\frac{\boxed{}}{\boxed{}} = \boxed{}$$

16

매실주스 양(mL)	매실 원액 양(mL)
100	25

$$\frac{\boxed{}}{\boxed{}} = \boxed{}$$

자, 이번엔 라면입니다~.

그건 저도 끓일 수 있어요.

화
악

시끄럽다!

음~ 일단 냄새는 합격!

후루룩

뜨악!

조심하세요!

너무 뜨겁지만 맛은 있네요.

후

이런 라면 100그릇 만들면 90그릇 팔릴 것 같아요.

저는 80그릇 예상합니다.

말씀하신 것을 백분율로 나타내면 갈릴레오님은 90 %, 준수는 80 %네.

백분율이요?

기준량을 100으로 할 때의 비율을 백분율이라고 해. 기호 %를 사용하지.

비율 $\dfrac{85}{100}$ 를 85 %라 쓰고 85 퍼센트라고 읽습니다.

$\dfrac{1}{100}=1$ % $\dfrac{85}{100}=85$ %

까악~

나의 라면 실력은 합격이네.

방
방

저렇게 좋아하다니!

◎ 백분율 알아보기

• 백분율: 기준량을 100으로 할 때의 비율

• 백분율은 기호 %를 사용하여 나타냅니다.

• 비율 $\frac{85}{100}$ 를 85 %라 쓰고 85 퍼센트라고 읽습니다.

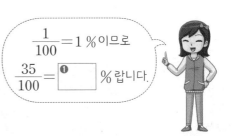

$\frac{1}{100}=1$ %이므로

$\frac{35}{100}=$ ❶ ☐ % 랍니다.

 $\frac{1}{100}=1$ %

 $\frac{85}{100}=85$ %

4

비와 비율

○ 정답 ❶ 35

---

1 비율을 백분율로 나타내려고 합니다. ☐ 안에 알맞은 수를 써넣으세요.

(1) $\frac{2}{5} \Rightarrow \frac{2}{5} \times 100 =$ ☐ (%)

(2) $\frac{4}{25} \Rightarrow \frac{\boxed{}}{25} \times 100 =$ ☐ (%)

백분율을 구하려면 소수나 분수로 나타낸 비율에 100을 곱하고 % 기호를 붙여요.

[2~5] 비율을 백분율로 나타내어 보세요.

2 $\frac{3}{4} \Rightarrow ($ $)$

3 $\frac{7}{10} \Rightarrow ($ $)$

4 $0.23 \Rightarrow ($ $)$

5 $0.4 \Rightarrow ($ $)$

[6~7] 옷가게에서 티셔츠는 50벌 중 30벌이 판매되었고 바지는 20벌 중 14벌이 판매되었습니다. 티셔츠와 바지의 판매율을 비교해 보세요.

6 티셔츠와 바지의 판매율을 각각 구하세요.

티셔츠: $\frac{30}{50} \times 100 =$ ☐ (%)   바지: $\frac{14}{20} \times 100 =$ ☐ (%)

티셔츠와 바지의 판매율을 비교하려면 기준량이 다르기 때문에 기준량을 같게 하여 비교합니다.

7 판매율이 더 높은 것은 어느 것일까요?

(   )

입천장을 다 데었어.

천천히 드시지…….

후아

후아

정말 맛있게 먹었어.

꺼억~

후식으로 매실주스를 준비했어.

오~

준수야, 우리 생활에서 백분율이 사용되는 경우를 알아볼까?

매실주스 마시고 생각해 볼게요.

갈릴레오 스승님의 제자로서 자세가 안 되어 있네!

찌릿!

매실주스의 진하기를 백분율로 나타낼 수 있어.

매실 원액 60 mL를 넣어 매실주스 300 mL를 만들었습니다.
매실주스 양에 대한 매실 원액의 양의 비율을
백분율로 나타내면 $\frac{60}{300} \times 100 = 20$ (%)입니다.

음식 솜씨도 좋으신데 수학 실력도 좋으시군요.

호호호

읍, 근데 매실주스 맛이 왜 이러지?

얘들아~.

할머니~.

후다닥

할머니 보고 싶었어요.

?!

와락

큭큭

◎ 백분율이 사용되는 경우

• 선거에서 득표율 알아보기

예 500명이 투표에 참여하였고 어떤 후보의 득표수가 200표라면 이 후보의 득표율을 백분율로 나타내면

$\dfrac{200}{500} \times$ ❶ $\boxed{} = 40$ (%)입니다.

• 소금물의 진하기 알아보기

예 소금 60 g을 녹여 소금물 300 g을 만들었을 때 소금물 양에 대한 소금 양의 비율을 백분율로 나타내면

$\dfrac{❷\boxed{}}{300} \times 100 = 20$ (%)입니다.

○ 정답 ❶ 100 ❷ 60

[1~3] 전교 어린이 회장 선거에서 500명이 투표에 참여했습니다. 각 후보의 득표율을 알아보세요.

후보	가	나	무효표
득표 수(표)	255	240	5

1 가 후보의 득표율은 몇 %일까요?

(   )

2 나 후보의 득표율은 몇 %일까요?

(   )

3 무효표는 몇 %일까요?

(   )

[4~6] 어느 가게에서 파는 모자와 양말의 가격을 보고 물음에 답하세요.

	원래 가격	할인된 판매 가격
모자	3000원	2400원
양말	1000원	500원

4 모자의 할인 금액은 원래 가격의 몇 %일까요?

$\dfrac{600}{3000} = \dfrac{\boxed{}}{100} = \boxed{}$ (%)

5 양말의 할인 금액은 원래 가격의 몇 %일까요?

$\dfrac{500}{1000} = \dfrac{\boxed{}}{100} = \boxed{}$ (%)

백분율을 구할 때 비율에 100을 곱하거나 분모를 100인 분수로 나타내어 구할 수도 있어요.

6 할인율이 더 높은 것은 어느 것일까요?   (   )

4 비와 비율

2 단계

백분율 알아보기

[01~06] 비율을 백분율로 나타내어 보세요.

01 $\dfrac{24}{100}$ ⇨ (   )

02 $\dfrac{37}{100}$ ⇨ (   )

03 $\dfrac{1}{4}$ ⇨ (   )

04 $\dfrac{4}{5}$ ⇨ (   )

05 0.16 ⇨ (   )

06 0.36 ⇨ (   )

[07~10] 그림을 보고 전체에 대한 색칠한 부분의 비율을 백분율로 나타내어 보세요.

07

(   )

08

(   )

09

(   )

10

(   )

백분율이 사용되는 경우

[11~14] 소금 양과 소금물 양을 보고 소금물 양에 대한 소금 양의 비율은 몇 %인지 구하세요.

11
소금 양: 60 g
소금물 양: 150 g

(   )

12
소금 양: 60 g
소금물 양: 400 g

(   )

13
소금 양: 20 g
소금물 양: 200 g

(   )

14
소금 양: 70 g
소금물 양: 250 g

(   )

[15~17] 전교 어린이 회장 선거에서 500명이 투표에 참여했을 때 후보별 득표율을 알아보세요.

후보	가	나	무효표
득표 수(표)	210	275	15

15 가 후보의 득표율은 몇 %일까요?

(   )

16 나 후보의 득표율은 몇 %일까요?

(   )

17 무효표는 몇 %일까요?

(   )

[18~19] 물건의 원래 가격과 할인해 판매한 가격을 보고 할인율을 구하세요.

물건	모자	양말
원래 가격(원)	20000	5000
할인해 판매한 가격(원)	18000	4250

18 모자의 할인율은 몇 %일까요?

(   )

19 양말의 할인율은 몇 %일까요?

(   )

4

비와 비율

[01~02] 한 모둠에 호두과자를 한 봉지씩 나누어 주었습니다. 한 모둠은 5명씩이고 호두과자는 한 봉지에 10개씩입니다. 물음에 답하세요.

01 모둠원 수와 호두과자 수를 비교해 보세요.

뺄셈으로 비교하기	나눗셈으로 비교하기

Tip

빼셈으로 비교한 경우에는 모둠 수에 따라 호두과자 수와 모둠원 수의 관계가 변해요.

02 모둠 수에 따른 모둠원 수와 호두과자 수를 구해 표를 완성해 보세요.

모둠 수	1	2	3	4	5
모둠원 수(명)	5	10	15	20	25
호두과자 수(개)	10	20			

03 그림을 보고 □ 안에 알맞은 수를 써넣으세요.

(1) 티셔츠 수와 바지 수의 비 ⇨ □ : □

(2) 바지 수에 대한 티셔츠 수의 비 ⇨ □ : □

(3) 티셔츠 수의 바지 수에 대한 비 ⇨ □ : □

• 두 수 3과 4를 나눗셈으로 비교할 때 기호 : 을 사용하여 3 : 4라 쓰고 3 대 4라고 읽습니다.

04 전체에 대한 색칠한 부분의 비가 3 : 8이 되도록 색칠해 보세요.

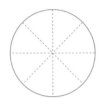

05 비교하는 양과 기준량을 찾아 쓰고 비율을 분수로 나타내어 보세요.

비	비교하는 양	기준량	비율
5 : 8			
17과 10의 비			
16에 대한 11의 비			

Tip

• 기호 : 의 오른쪽에 있는 것이 기준량, 왼쪽에 있는 것이 비교하는 양입니다.

⑩ 12 : 15

       ↑
      기준량
   비교하는 양

06 관계있는 것끼리 이어 보세요.

21 : 15 •

5에 대한 4의 비 •

8의 5에 대한 비 •

• $\dfrac{8}{5}$ •

• $\dfrac{4}{5}$ •

• $\dfrac{21}{15}$ •

• 1.6

• 1.4

• 0.8

기준량에 대한 비교하는 양의 크기를 비율이라고 하고

$$(비율) = \dfrac{(비교하는\ 양)}{(기준량)}$$ 입니다.

07 그림을 보고 전체에 대한 색칠한 부분의 비율을 백분율로 나타내어 보세요.

(1)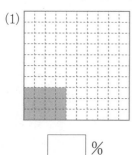

☐ %

(2)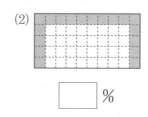

☐ %

Tip

• 그림을 보고 전체에 대한 색칠한 부분의 비율을 구하여 백분율로 나타냅니다.

• 비율을 백분율로 나타낼 때에는 반드시 %를 씁니다.

08 빈칸에 알맞은 수를 써넣으세요.

분수	소수	백분율(%)
$\frac{64}{100}$	0.64	
	0.36	
$\frac{24}{25}$		

09 수학여행을 갈 때 기차를 타는 것에 찬성하는 학생 수를 조사했습니다. 각 반의 찬성률을 백분율로 나타내어 보고, 찬성률이 가장 높은 반은 몇 반인지 알아보세요.

	전체 학생 수(명)	찬성하는 학생 수(명)	찬성률(%)
1반	24	12	
2반	25	13	
3반	20	13	

( )

10 민수가 미술관에 갔습니다. 미술관 입장료는 15000원인데 민수는 할인권을 이용하여 입장료로 10500원을 냈습니다. 몇 %를 할인받은 것인지 구하세요.

(   )

Tip

먼저 민수가 얼마를 할인받았는지 구해요.

11 빨간 버스는 190 km를 가는 데 2시간이 걸렸고, 파란 버스는 270 km를 가는 데 3시간이 걸렸습니다. 두 버스의 걸린 시간에 대한 달린 거리의 비율을 각각 구하고, 어느 버스가 더 빠른지 구하세요.

빨간 버스 (   )

파란 버스 (   )

더 빠른 버스 (   )

• 걸린 시간에 대한 달린 거리의 비율

⇨ $\dfrac{\text{(달린 거리)}}{\text{(걸린 시간)}}$

12 두 마을의 넓이에 대한 인구의 비율을 각각 구하고, 두 마을 중 인구가 더 밀집한 곳을 구하세요.

마을	햇빛 마을	달빛 마을
인구(명)	8500	6900
넓이(km²)	5	3
넓이에 대한 인구의 비율		

인구가 더 밀집한 곳 (   )

• 인구가 더 밀집한 곳은 마을 넓이에 대한 인구의 비율이 더 높은 곳입니다.

4

비
와
비
율

01 그림을 보고 □ 안에 알맞은 수를 써넣으세요.

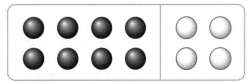

검은색 바둑돌은 흰색 바둑돌보다 □ 개
더 많습니다.

02 그림을 보고 □ 안에 알맞은 수를 써넣으세요.

수박 수에 대한 멜론 수의 비 ⇨ □ : □

[03~04] □ 안에 알맞은 수를 써넣으세요.

03 6 : 9 ⇨ □ 의 □ 에 대한 비

04 12 : 15 ⇨ □ 의 □ 에 대한 비

05 다음 중 5 : 9를 <u>잘못</u> 읽은 것은 어느 것입니까?
.... (   )

① 5와 9의 비
② 5에 대한 9의 비
③ 9에 대한 5의 비
④ 5의 9에 대한 비
⑤ 5 대 9

06 그림을 보고 전체에 대한 색칠한 부분의 비를 구
하세요.

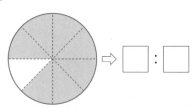

⇨ □ : □

07 관계있는 것끼리 선으로 이어 보세요.

16에 대한 4의 비	•	• $\frac{1}{2}$ •	• 0.2
5의 25에 대한 비	•	• $\frac{1}{5}$ •	• 0.25
6과 12의 비	•	• $\frac{1}{4}$ •	• 0.5

08 비율을 백분율로 나타내어 보세요.

$\dfrac{13}{25}$

(   )

09 빈칸에 알맞게 써넣으세요.

비율 ＼ 비	7 : 25	9 : 5
분수		
소수		
백분율		

10 학교 앞길을 청소하는 자원봉사자 20명 중 남자는 7명입니다. 전체 자원봉사자 수에 대한 여자 자원봉사자 수의 비를 써 보세요.

(   )

11 준수가 비에 대해 이야기한 것이 맞는지 <u>틀린지</u> 표시하고, 이유를 써 보세요.

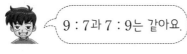
9 : 7과 7 : 9는 같아요.

(맞습니다, 틀립니다)

이유 _____

_____

12 연필이 15자루 있고, 지우개가 9개 있습니다. 연필 수에 대한 지우개 수의 비율을 소수로 나타내어 보세요.

(   )

4

비와 비율

13 호준이와 주하는 축구 연습을 했습니다. 호준이와 주하의 골 성공률은 각각 몇 %인지 구하세요.

> 호준: 난 공을 25번 차서 골대에 20번 넣었어.
> 주하: 난 공을 20번 차서 골대에 17번 넣었어.

호준 (   )
주하 (   )

14 자동차가 4시간 동안 360 km를 갔습니다. 이 자동차의 걸린 시간에 대한 간 거리의 비율을 구하세요.

(   )

[15~16] 어린이 마라톤 대회에 참가한 선수는 800 명이고 완주한 선수는 360명입니다. 물음에 답하세요.

15 완주한 선수와 참가한 선수의 비를 구하세요.

( )

16 완주한 선수는 참가한 선수의 몇 %입니까?

( )

17 공장에서 인형을 500개 만들 때 불량품이 15개 나온다고 합니다. 전체 인형 수에 대한 불량품 수의 비율을 백분율로 나타내어 보세요.

( )

18 두 마을 중 인구가 더 밀집한 곳은 어디일까요?

마을	인구(명)	넓이(km²)
현수네 마을	46500	3
진희네 마을	32000	2

( )

19 정아가 미술관에 갔습니다. 미술관 입장료는 18000원인데 정아는 할인권을 이용하여 입장료로 14400원을 냈습니다. 정아는 입장료를 몇 % 할인받은 것인지 구하세요.

( )

20 명인이는 설탕 40 g을 녹여 설탕물 160 g을 만들었고 민서는 설탕 60 g을 녹여 설탕물 300 g을 만들었습니다. 누가 만든 설탕물이 더 진한지 구하세요.

( )

스스로 학습장은 이 단원에서 배운 것을 확인하는 코너입니다.
몰랐던 것은 꼭 다시 공부해서 내 것으로 만들어 보아요.

• 스피드 정답표 10쪽, 정답 38쪽

4

비와 비율

※ 설명을 읽고 맞으면 ○표, 틀리면 ✕ 표 하세요.

1 두 수 4와 3을 비교할 때 4 : 3이라 쓰고 4 대 3이라고 읽습니다. ──────── ☐

2 4 : 3은 4에 대한 3의 비라고도 읽습니다. ──────── ☐

3 비 4 : 3에서 기준량은 4이고 비교하는 양은 3입니다. ──────── ☐

4 (비율)＝(비교하는 양)÷(기준량)＝$\dfrac{(비교하는\ 양)}{(기준량)}$ ──────── ☐

5 기준량을 100으로 할 때의 비율을 백분율이라고 합니다. ──────── ☐

6 비율 $\dfrac{14}{25}$를 백분율로 나타내면 $\dfrac{14}{25} \times 100 = 56\,(\%)$입니다. ──────── ☐

7 비율 $\dfrac{1}{2}$을 소수로 나타내면 0.5이고 이것을 백분율로 나타내면 5 %입니다. ──────── ☐

8 야구선수가 20타수 중 안타를 8개 쳤다면 타율은 0.04입니다. ──────── ☐

9 농구공을 15번 던져서 골대에 12번을 넣었다면 골 성공률은 80 %입니다. ──────── ☐

맞은 개수 8~9개

야호!
당신은 수학왕

맞은 개수 5~7개

좀더 노력하면
수학왕이 될 수 있어요.

맞은 개수 0~4개

이런! 수학 실력을
더 쌓아야겠어요.

5

여러 가지 그래프

QR 코드를 찍으면 5단원 개념 동영상 강의를 볼 수 있어요

이번에 배울 내용

- 그림그래프로 나타내기
- 띠그래프 알아보기,
  띠그래프로 나타내기
- 원그래프 알아보기,
  원그래프로 나타내기
- 그래프 해석하기
- 여러 가지 그래프 비교하기

우선 기초체력을 키우기 위해 달리기 실시!

네!

저도요?

응, 너도!

난 더 이상은 무리야~.

헉 헉

벌써 지치면 어떡해요.

며칠 후

헉

헉

오~ 그래도 처음보단 많이 나아졌는데요?

체력이 돌아오고 있어.

좋아!

하 하 탓 탓

이건 뭐예요?

척

갈릴레오의 100 m 달리기 기록을 꺾은선그래프로 나타낸 거야.

갈릴레오의 100 m 기록

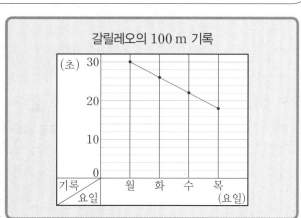

이것 좀 봐, 내 기록이 점점 좋아지고 있어.

하 하 하

이제 훈련은 그만 하시죠.

무슨 소리! 지금까진 기초체력 훈련이었다면 이제부터는 종목별 맞춤형 훈련을 실시한다!

그게 무슨 소리예요?

척

팔굽혀펴기 실시!

으~ 열하나……

괜히 한다고 했나봐! 으~.

끙 끙

5

여러 가지 그래프

5. 여러 가지 그래프 • 131

[1~3] 채소 가게에 있는 채소를 조사하여 나타낸 표입니다. 물음에 답하세요.

채소의 종류별 개수

종류	당근	오이	감자	양파	합계
개수(개)	26	28		30	120

1 감자는 몇 개일까요?

( )

2 위 표를 보고 막대그래프로 나타내려고 합니다. 세로 눈금 한 칸이 2개를 나타낼 때 당근은 몇 칸으로 나타내어야 할까요?

( )

3 표를 보고 막대그래프로 나타내어 보세요.

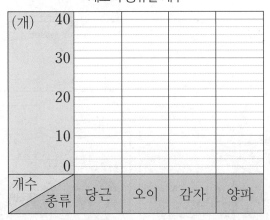

채소의 종류별 개수

개념 체크 **1** ◀ 4학년 1학기 5단원

조사한 자료를 표로 나타내기
조사한 내용을 표로 나타내면 보는 사람이 쉽게 이해할 수 있습니다.

개념 체크 **2** ◀ 4학년 1학기 5단원

막대그래프의 눈금 정하기
눈금 한 칸의 크기를 정하고 조사한 수 중 가장 큰 수를 나타낼 수 있도록 눈금의 수를 정합니다.

개념 체크 **3** ◀ 4학년 1학기 5단원

막대그래프로 나타내는 방법
① 가로와 세로 중 어느 쪽에 조사한 수를 나타낼 것인지 정하기
② 눈금 한 칸의 크기를 정하고 조사한 수 중 가장 큰 수를 나타낼 수 있도록 눈금의 수 정하기
③ 조사한 수에 맞도록 막대를 그리기
④ 막대그래프에 알맞은 제목 붙이기

[4~5] 정우가 11월 어느 하루 야영장의 기온 변화를 조사하여 나타낸 꺾은선그래프입니다. 물음에 답하세요.

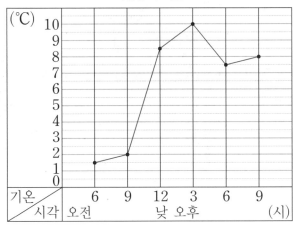

4 기온이 가장 높은 때는 몇 시일까요?

(   )

5 기온이 가장 많이 변한 때는 몇 시와 몇 시 사이일까요?

(   )

6 상민이가 동생의 키를 조사하여 나타낸 표를 보고 꺾은선그래프로 나타내어 보세요.

동생의 키

나이(개월)	1	2	3	4	5	6
키(cm)	51	56	62	64	67	69

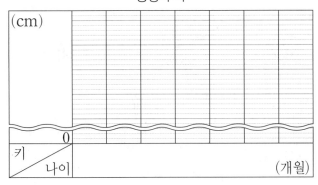

개념 체크 4 ◀ 4학년 2학기 5단원

꺾은선그래프의 내용 알아보기

꺾은선그래프의 점이 가장 위쪽에 있을 때 기온이 가장 높습니다.

개념 체크 5 ◀ 4학년 2학기 5단원

꺾은선그래프의 내용 알아보기

선이 가장 많이 기울어진 때가 기온이 가장 많이 변한 때입니다.

개념 체크 6 ◀ 4학년 2학기 5단원

꺾은선그래프로 나타내는 방법

① 가로와 세로 중 어느 쪽에 조사한 수를 나타낼 것인지 정하기

② 눈금 한 칸의 크기를 정하고 조사한 수 중 가장 큰 수를 나타낼 수 있도록 눈금의 수 정하기

③ 가로 눈금과 세로 눈금이 만나는 자리에 점 찍기

④ 점들을 선분으로 잇기

⑤ 꺾은선그래프에 알맞은 제목 붙이기

5

여러 가지 그래프

할아버지, 힘들어요. 조금 쉬었다 해요.

좋아!

그런데 훈련을 왜 이렇게 힘들게 하는 거예요?

자, 이걸 봐!

이건 그림그래프잖아요.

마을별 사람 수를 그림그래프로 나타내면 그림의 크기로 사람 수의 많고 적음을 쉽게 알 수 있지.

마을별 사람 수

할아버지네 마을

가	나	다	라

👤 : 100명
🧍 : 10명

자료를 그림으로 나타낸 그래프를 그림그래프라고 합니다.

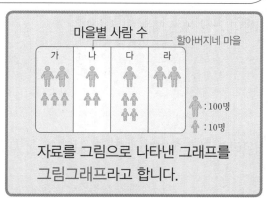

다른 마을보다 우리 마을 사람 수가 적어.

그러면 한 사람이 여러 종목에 참가해야겠네요.

끄덕 끄덕

너무 힘들어서 집에 가고 싶다~.

쯧쯧

다음은 윗몸일으키기 실시!

조금 더!

으윽~

100개 먼저 한 사람에게 간식이 제공된다!

헉!

파닥 파닥

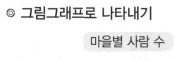

◎ 그림그래프로 나타내기

마을별 사람 수

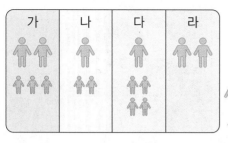

조사한 수를 그림으로 나타낸 그래프를 그림그래프라고 해요.

🧑 : 100명

👶 : 10명

사람이 가장 많은 마을은 가 마을로 ❶ [　　　] 명이고

사람이 가장 적은 마을은 나 마을로 ❷ [　　　] 명입니다.

➡ 정답 ❶ 230 ❷ 120

[1~4] 지역별 감자 생산량을 조사하여 나타낸 표입니다. 물음에 답하세요.

지역별 감자 생산량

지역	가	나	다	라
생산량(상자)	3400	2700	4200	3500

지역별 감자 생산량

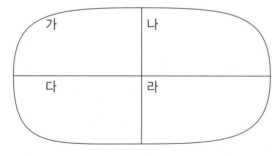

그림그래프는 그림의 크기로 많고 적음을 알 수 있어요.

🥔 : 1000상자

• : 100상자

1 🥔 와 • 는 각각 몇 상자를 나타낼까요?

🥔 (　　　　　　　　　　　), • (　　　　　　　　　　)

2 표를 보고 그림그래프로 나타내어 보세요.

3 감자를 가장 많이 생산한 지역의 기호를 쓰세요.

(　　　　　　　　　　)

4 감자를 가장 적게 생산한 지역의 기호를 쓰세요.

(　　　　　　　　　　)

5

여 러 가 지 그 래 프

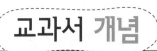

쉬는 시간

간식 더 없나요?

또 드시게요?

헤~

배가 계속 고파서요.

할아버지, 대회에서 우승하면 선물을 줘요?

아함~

물론이지!!!

뭔데요?

마을 도서관에 필요한 책을 준대.

책은 별로인데.

흑

현재 마을 도서관에 있는 책 종류를 알아볼 수 있나요?

어떻게 알려주면 좋을까…….

띠그래프로 알아봐요.

전체에 대한 각 부분의 비율을 띠 모양에 나타낸 그래프를 띠그래프라고 해요.

마을 도서관에 있는 책의 수

| 0 10 20 30 40 50 60 70 80 90 100 (%) |

| 문학책 (45 %) | 동시집 (30 %) | 만화 (10 %) | 과학책 (5 %) |

논술잡지 (10 %)

그래프를 보니 문학책이 제일 많네요.

책 종류별로 비율을 한눈에 알 수 있네요.

스윽

맞아!

헤헤

오~ 준수, 많이 발전했는데~.

◎ 띠그래프 알아보기

• 띠그래프: 전체에 대한 각 부분의 비율을 띠 모양에 나타낸 그래프

마을 도서관에 있는 책의 수

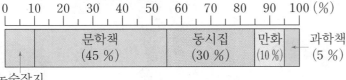

논술잡지
(10 %)

동시집은 전체의
⬤ □ % 예요.

⬤ 정답 ⬤ 30

[1~3] 정호네 반 6학년 학생들이 좋아하는 운동을 조사하여 나타낸 표와 띠그래프입니다. 물음에 답하세요.

좋아하는 운동별 학생 수

운동	농구	축구	야구	수영	합계
학생 수(명)	90	60	30	20	200
백분율(%)					

좋아하는 운동별 학생 수

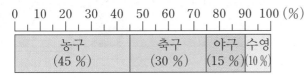

자료를 띠그래프로
나타내면 전체에 대한
각 부분의 비율을 한눈에
알아볼 수 있어요.

5

여러 가지 그래프

1 조사한 학생은 모두 몇 명일까요?

(   )

2 전체 학생 수에 대한 운동별 학생 수의 백분율을 구하여 표를 완성해 보세요.

3 띠그래프를 보고 알 수 있는 내용을 한 가지 써 보세요.

4 유미네 반 친구들이 좋아하는 과목을 조사하여 나타낸 띠그래프입니다. 띠그래프로 나타내면 어떤 점이 좋은지 한 가지만 써 보세요.

좋아하는 과목별 학생 수

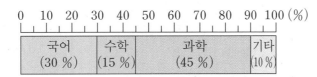

교과서 개념

띠그래프로 어떻게 나타내나요?

◎ **띠그래프로 나타내는 방법**

① 자료를 보고 각 항목의 백분율을 구합니다.

② 각 항목의 백분율의 합계가 100 %가 되는지 확인합니다.

③ 각 항목이 차지하는 백분율의 크기만큼 선을 그어 띠를 나눕니다.

④ 나눈 부분에 각 항목의 내용과 백분율을 씁니다.

⑤ 띠그래프의 제목을 씁니다.

백분율의 합계는 100 %가 아니면 백분율을 잘못 구한 거예요.

좋아하는 과일별 학생 수

과일	수박	사과	귤	기타	합계
학생 수(명)	14	12	8	6	40
백분율(%)	35	30	20	15	❶

좋아하는 과일별 학생 수

→ 띠그래프에서 작은 눈금 1칸은 5 %입니다.

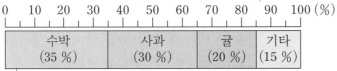

→ 띠를 나눌 때에는 왼쪽부터 차례대로 나눕니다.

◐ 정답 ❶ 100

---

1 지호네 반 학생들이 좋아하는 음악의 종류를 조사하여 나타낸 표입니다. 표를 완성하고 띠그래프로 나타내어 보세요.

좋아하는 음악별 학생 수

음악	동요	가요	국악	기타	합계
학생 수(명)	18	14	4	4	40
백분율(%)					

좋아하는 음악별 학생 수

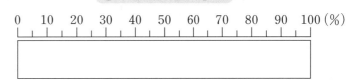

---

2 주하네 학교 6학년 학생들의 취미 생활을 조사하여 나타낸 표입니다. 표를 완성하고 띠그래프로 나타내어 보세요.

취미 생활별 학생 수

취미 생활	독서	운동	악기 연주	그림 그리기	기타	합계
학생 수(명)	80	60	30	20	10	200
백분율(%)						

취미 생활별 학생 수

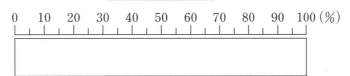

그림그래프로 나타내기

[01~03] 지역별 버섯 생산량을 조사하여 나타낸 표입니다. 물음에 답하세요.

지역별 버섯 생산량

지역	생산량(kg)	지역	생산량(kg)
가	480	나	560
다	680	라	550

01 표를 보고 그림그래프로 나타내어 보세요.

지역별 버섯 생산량

가	나
다	라

🍄 : 100 kg 🍄 : 10 kg

02 버섯을 가장 많이 생산한 지역의 기호를 쓰세요.

( )

03 버섯을 가장 많이 생산한 지역과 가장 적게 생산한 지역의 생산량의 차는 몇 kg일까요?

( )

띠그래프 알아보기

[04~07] 다음은 정아네 반 학생들이 좋아하는 색을 조사하여 나타낸 표와 그래프입니다. 물음에 답하세요.

좋아하는 색별 학생 수

색	초록	분홍	빨강	파랑	합계
학생 수(명)	10	5	4	6	25
백분율(%)			16	24	100

좋아하는 색별 학생 수

0 10 20 30 40 50 60 70 80 90 100 (%)

초록 (%)	분홍 (%)	빨강 (16 %)	파랑 (24 %)

04 전체에 대한 각 부분의 비율을 띠 모양에 나타낸 그래프를 무엇이라고 할까요?

( )

05 조사한 학생은 모두 몇 명일까요?

( )

06 전체 학생 수에 대한 초록을 좋아하는 학생 수의 백분율을 구하세요.

( )

07 전체 학생 수에 대한 분홍을 좋아하는 학생 수의 백분율을 구하세요.

( )

띠그래프로 나타내기

[08~09] 유현이네 학교 6학년 학생들의 장래 희망을 조사하여 나타낸 표입니다. 물음에 답하세요.

장래 희망별 학생 수

장래 희망	연예인	선생님	운동선수	기타	합계
학생 수(명)	100	50	75	25	250
백분율(%)					

08 전체 학생 수에 대한 장래 희망별 학생 수의 백분율을 구하여 위의 표를 완성하세요.

09 위의 표를 보고 띠그래프로 나타내어 보세요.

장래 희망별 학생 수

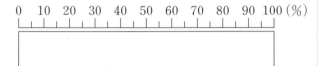

10 표를 보고 띠그래프로 나타내어 보세요.

혈액형별 학생 수

혈액형	A형	B형	O형	AB형	합계
학생 수(명)	16	10	8	6	40
백분율(%)	40	25	20	15	100

혈액형별 학생 수

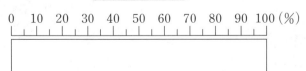

[11~12] 자료를 보고 물음에 답하세요.

민서네 학교 6학년 학생들이 가고 싶어 하는 나라를 조사하였더니 영국이 80명, 중국이 50명, 독일이 40명, 미국이 20명, 기타가 10명이었습니다.

11 위의 자료를 보고 다음 표를 완성하세요.

가고 싶어 하는 나라별 학생 수

나라	영국	중국	독일	미국	기타	합계
학생 수(명)	80					
백분율(%)						

12 위 11의 표를 보고 띠그래프로 나타내어 보세요.

가고 싶어 하는 나라별 학생 수

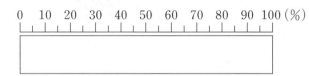

13 윤서가 학교 도서관에서 빌린 책을 조사하여 나타낸 표입니다. 표를 완성하고 띠그래프로 나타내어 보세요.

빌린 책의 종류별 권수

책의 종류	역사	만화	문학	과학	합계
빌린 권수(권)	20	10	6	4	40
백분율(%)					

빌린 책의 종류별 권수

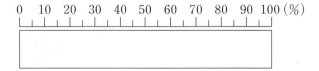

5

여러 가지 그래프

후~, 힘들어.

좀 쉬었다 할까?

이것 봐요. 제가 원그래프를 가져왔어요.

?!

우리반 애들이 좋아하는 운동을 조사해서 나타낸 원그래프야.

원그래프?

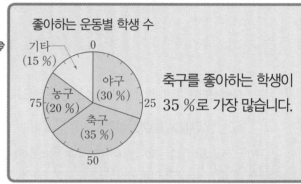

전체에 대한 각 부분의 비율을 원 모양에 나타낸 그래프를 원그래프라고 해.

좋아하는 운동별 학생 수

기타 (15 %)

농구 (20 %)

야구 (30 %)

축구 (35 %)

0

25

50

75

축구를 좋아하는 학생이 35 %로 가장 많습니다.

축구를 좋아하는 친구들이 가장 많네.

원그래프를 잘 이해하는구나. 이렇게 기특할 수가!

뭘요~.

헤헤

그런데 고모는?

두리번 두리번

글쎄……

고모!

드르렁

혼자 몰래 자고 있었던 거야?

자다니 누가? 나도 훈련 중이었어.

별

떡

잠자기가 훈련이야?

훈련별 시간

휴식 (30%)

잠자기 (60%)

달리기 (10%)

◎ 원그래프 알아보기

• 원그래프: 전체에 대한 각 부분의 비율을 원 모양에 나타낸 그래프

좋아하는 운동별 학생 수

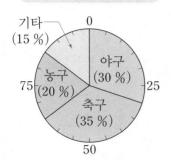

원그래프에서 농구를 좋아하는 학생은 전체 학생의 ❷ %예요.

• 원그래프의 눈금 1칸은 ❶ %를 나타냅니다.

• 전체 학생 수에 대한 좋아하는 운동별 학생 수의 백분율을 원그래프로 나타냈습니다.

• 자료를 원그래프로 나타내면 전체에 대한 각 항목끼리의 비율을 쉽게 비교할 수 있습니다.

◐ 정답 ❶ 5 ❷ 20

1 다음과 같이 전체에 대한 각 부분의 비율을 원 모양에 나타낸 그래프의 이름을 써 보세요.

종류별 학급 문고의 수

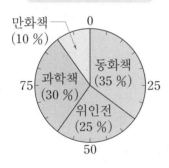

원그래프와 띠그래프는 모두 비율을 나타내요.

(   )

[2~5] 수영이네 반 학생들이 좋아하는 음료수를 조사하여 나타낸 표와 원그래프입니다. 물음에 답하세요.

좋아하는 음료수별 학생 수

음료수	주스	보리차	우유	생수	기타	합계
학생 수(명)	14	12	8	4	2	
백분율(%)	35	30	20	10	5	100

좋아하는 음료수별 학생 수

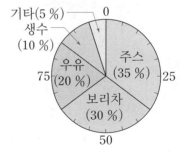

2 조사한 학생은 모두 몇 명일까요?   (   )

3 보리차를 좋아하는 학생 수는 전체의 몇 %일까요?   (   )

4 가장 많은 학생이 좋아하는 음료수는 무엇일까요?   (   )

5 자료를 원그래프로 나타내면 어떤 점이 좋은지 한 가지만 써 보세요.

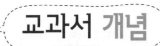

고모 때문에 우리가 꼴찌하면 어떡해~.

내 덕에 우승할걸!!

아함~

맞아, 고모님 덕에 우리가 우승할 거야.

우리 마을이 우승을 많이 했었지.

준수가 표를 보고 원그래프로 나타내어 볼래?

각 마을별 우승 횟수

마을	가	나	다	라	합계
우승 횟수(회)	6	8	5	1	20
백분율(%)	30	40	25	5	100

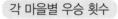

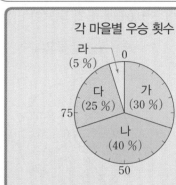

원그래프는 원의 중심에서 원주 위에 표시된 눈금까지 선으로 이어서 그려요.

각 마을별 우승 횟수

라 (5 %) 0

다 (25 %)

가 (30 %)

나 (40 %)

25

50

75

준수의 실력이 일취월장이로구나!

칭찬해!

헤헤

일취월장?

일취월장이 뭐죠?

실력이 나날이 발전해 간다는 뜻이에요.

아하

긁적 긁적

헤헤

우리가 이번에도 우승할 수 있을 거예요.

맞아!

그래, 그래. 모두 힘내자!

◎ 원그래프로 나타내는 방법

① 자료를 보고 각 항목의 백분율을 구합니다.

② 각 항목의 백분율의 합계가 100 %가 되는지 확인합니다.

③ 각 항목이 차지하는 백분율의 크기만큼 선을 그어 원을 나눕니다.

④ 나눈 부분에 각 항목의 내용과 백분율을 씁니다.

⑤ 원그래프의 제목을 씁니다.

원을 나눌 때에는 0부터 시작하여 시계 방향으로 나누면 돼요.

각 마을별 우승 횟수

마을	가	나	다	라	합계
우승 횟수(회)	6	8	5	1	20
백분율(%)	30	40	25	5	❶

각 마을별 우승 횟수

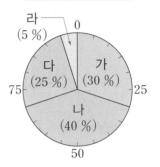

◯ 정답　❶ 100

[1~2] 서준이네 반 학생들이 방학 때 가고 싶은 장소를 조사하여 나타낸 표입니다. 물음에 답하세요.

방학 때 가고 싶은 장소별 학생 수

장소	워터파크	캠핑장	놀이공원	미술관	합계
학생 수(명)	18	10	6	6	40
백분율(%)					

1 전체 학생 수에 대한 방학 때 가고 싶은 장소별 학생 수의 백분율을 구한 후, 위 표를 완성해 보세요.

(1) 워터파크: $\dfrac{18}{40} \times 100 =$ ☐ (%)

(2) 캠핑장: $\dfrac{10}{40} \times$ ☐ $=$ ☐ (%)

(3) 놀이공원: $\dfrac{6}{40} \times$ ☐ $=$ ☐ (%)

(4) 미술관: $\dfrac{6}{40} \times$ ☐ $=$ ☐ (%)

2 위 표를 보고 원그래프로 나타내어 보세요.

방학 때 가고 싶은 장소별 학생 수

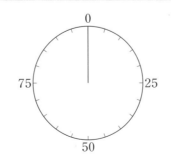

원그래프에서 눈금 한 칸은 5 %를 나타내요.

원그래프 알아보기

[01~04] 학생들의 취미 생활을 조사하여 나타낸 원그래프입니다. 물음에 답하세요.

취미 생활별 학생 수

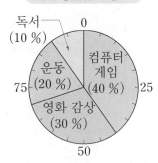

01 전체 학생의 30 %를 차지하는 취미 생활은 무엇일까요?

( )

02 가장 많은 학생의 취미 생활은 무엇일까요?

( )

03 운동이나 독서를 취미 생활로 하는 학생의 비율은 전체 학생의 몇 %일까요?

( )

04 영화 감상이 취미인 학생 수는 독서가 취미인 학생 수의 몇 배일까요?

( )

원그래프로 나타내기

[05~06] 광윤이네 반 전체 학생 수에 대한 좋아하는 문화재별 학생 수의 비율을 원그래프로 나타내려고 합니다. 물음에 답하세요.

05 전체 학생 수에 대한 좋아하는 문화재별 학생 수의 백분율을 구하여 표를 완성해 보세요.

좋아하는 문화재별 학생 수

문화재	훈민정음	석굴암	첨성대	동대문	기타	합계
학생 수(명)	4	6	5	7	3	25
백분율(%)						

(1) 훈민정음: $\dfrac{4}{25} \times 100 = \boxed{}$ (%)

(2) 석굴암: $\dfrac{6}{25} \times 100 = \boxed{}$ (%)

(3) 첨성대: $\dfrac{\boxed{}}{25} \times 100 = \boxed{}$ (%)

(4) 동대문: $\dfrac{\boxed{}}{25} \times 100 = \boxed{}$ (%)

(5) 기타: $\dfrac{\boxed{}}{25} \times 100 = \boxed{}$ (%)

06 위의 표를 보고 원그래프로 나타내어 보세요.

좋아하는 문화재별 학생 수

07 학급에서 기르고 있는 허브 화분 수를 조사하여 나타낸 표입니다. 표를 완성하고 원그래프로 나타내어 보세요.

허브 종류별 화분 수

허브 종류	애플민트	라벤더	로즈마리	기타	합계
화분 수(개)	16	10	8	6	40
백분율(%)					

허브 종류별 화분 수

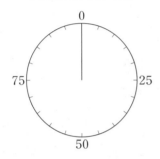

08 학생들이 좋아하는 채소를 조사하여 나타낸 표입니다. 표를 완성하고 원그래프로 나타내어 보세요.

좋아하는 채소별 학생 수

채소	양파	가지	호박	고추	합계
학생 수(명)	28	24	16	12	80
백분율(%)					

좋아하는 채소별 학생 수

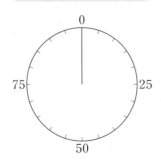

09 학생들이 좋아하는 간식을 조사하여 나타낸 표입니다. 표를 완성하고 원그래프로 나타내어 보세요.

좋아하는 간식별 학생 수

간식	김밥	피자	떡볶이	만두	합계
학생 수(명)	18	15	21	6	60
백분율(%)					

좋아하는 간식별 학생 수

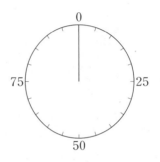

10 학생들이 태어난 계절을 조사하여 나타낸 표입니다. 표를 완성하고 원그래프로 나타내어 보세요.

태어난 계절별 학생 수

계절	봄	여름	가을	겨울	합계
학생 수(명)	120	30	90	60	300
백분율(%)					

태어난 계절별 학생 수

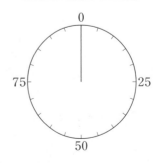

하압
와

힘내요!

와

와아

너무 멋졌어요!

저벅
저벅

다음은 애완견과 함께 달리기입니다!

난 동구랑 애완견 달리기에 참가할 거야.

참가한 애완견 중에서 몰티즈가 가장 많구나.

동구야, 우리가 1등이야. 잘했어.

쓰담 쓰담

애완견 종류별 수

0	10	20	30	40	50	60	70	80	90	100 (%)

몰티즈 (35 %)	시추 (20 %)	푸들 (20 %)	치와와 (15 %)	기타 (10 %)

가장 많은 애완견은 35 %인 몰티즈입니다.

줄다리기를 시작합니다!

영차   영차

승!

척

이겼다!

• 스피드 정답표 12쪽, 정답 42쪽

월 일

◎ 그래프를 해석하기

• 원그래프를 보고 해석하기

종류별 가축 수

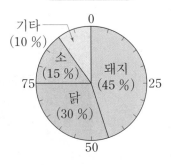

① 가장 많은 가축은 **❶** 입니다.

② 닭의 수는 전체의 30 %입니다.

③ 닭의 수는 소의 수의 **❷** 배입니다.

• 띠그래프를 보고 해석하기

애완견 종류별 수

① 가장 많은 애완견은 몰티즈입니다.

② 치와와의 수는 전체의 **❸** %입니다.

③ 시추의 수와 푸들의 수는 같습니다.

◎ 정답 **❶** 돼지 **❷** 2 **❸** 15

5

여러 가지 그래프

[1~3] 오른쪽은 원진이네 학교 6학년 학생들이 좋아하는 과목을 조사하여 나타낸 원그래프입니다. 물음에 답하세요.

좋아하는 과목별 학생 수

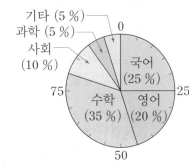

1 국어를 좋아하는 학생은 전체 학생의 몇 %일까요?

( )

2 수학을 좋아하는 학생 수는 과학을 좋아하는 학생 수의 몇 배일까요?

( )

3 기타에는 어떤 과목이 들어갈 수 있을지 써 보세요.

( )

[4~5] 지윤이네 반 학생들이 좋아하는 계절을 조사하여 나타낸 띠그래프입니다. 물음에 답하세요.

좋아하는 계절별 학생 수

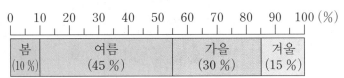

4 비율이 30 % 미만인 계절을 모두 써 보세요.

( )

5 여름을 좋아하는 학생 수는 겨울을 좋아하는 학생 수의 몇 배일까요?

( )

교과서 개념

여러 가지 그래프를 어떻게 비교하나요?

• 스피드 정답표 12쪽, 정답 42쪽 월   일

◎ 여러 가지 그래프를 비교하기
• 그래프의 특징

그래프	특징
그림그래프	그림의 크기와 수로 수량의 많고 적음을 쉽게 알 수 있습니다.
막대그래프	수량의 많고 적음을 한눈에 비교하기 쉽습니다.
띠그래프	전체에 대한 각 부분의 비율을 한눈에 알아보기 쉽습니다.
원그래프	전체에 대한 각 부분의 ❶　　　을 한눈에 알아보기 쉽습니다.
꺾은선그래프	시간에 따라 연속적으로 변화하는 양을 나타내는 데 편리합니다.

◐ 정답 ❶ 비율

5
여러 가지 그래프

[1~3] 윤서네 반 학생들이 좋아하는 색깔을 조사하여 나타낸 표와 그래프입니다. 물음에 답하세요.

좋아하는 색깔별 학생 수

색	빨간색	노란색	파란색	기타	합계
학생 수(명)	14	10	8	8	40
백분율(%)	35	25	20	20	100

좋아하는 색깔별 학생 수

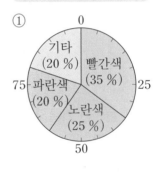

좋아하는 색깔별 학생 수

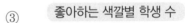

좋아하는 색깔별 학생 수

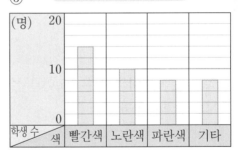

각 그래프의 이름을 써 보세요.

①(   )   ②(   )   ③(   )

2 띠그래프의 특징을 한 가지만 써 보세요.

_____

3 원그래프를 보고 알 수 있는 내용을 한 가지만 써 보세요.

_____

그래프를 해석하기

[01~04] 정우는 학교 신문에서 부모님께 들으면 기분 좋은 말을 조사하여 나타낸 원그래프를 보았습니다. 물음에 답하세요.

부모님께 들으면 기분 좋은 말

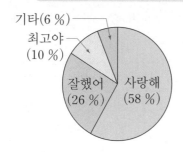

01 부모님께 들으면 기분 좋은 말 중 사랑해를 선택한 학생은 전체의 몇 %일까요?

( )

02 부모님께 들으면 기분 좋은 말 중 비율이 10 %인 말은 무엇일까요?

( )

03 사랑해를 선택한 학생 수는 최고야를 선택한 학생 수의 약 몇 배일까요?

약 ( )

04 기타에는 어떤 말이 들어갈 수 있을지 써 보세요.

_____

_____

[05~08] 윤채네 학교 6학년 학생들이 좋아하는 계절을 조사하여 나타낸 띠그래프입니다. 물음에 답하세요.

좋아하는 계절별 학생 수

05 작은 눈금 한 칸의 크기는 몇 %일까요?

( )

06 여름을 좋아하는 학생은 전체 학생의 몇 %일까요?

( )

07 가장 적은 학생들이 좋아하는 계절을 구하세요.

( )

08 여름을 좋아하는 학생 수는 가을을 좋아하는 학생 수의 몇 배일까요?

( )

• 스피드 정답표 12쪽, 정답 42쪽   월   일

[09~11] 재연이네 반 학생들이 생일에 받고 싶은 선물을 조사하여 나타낸 띠그래프입니다. 물음에 답하세요.

선물별 학생 수

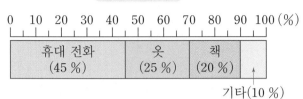

| 휴대 전화 (45 %) | 옷 (25 %) | 책 (20 %) | 기타(10 %) |

09 휴대 전화를 받고 싶은 학생은 책을 받고 싶은 학생의 몇 배일까요?

(   )

10 책을 받고 싶은 학생이 8명이라면 기타에 속하는 학생은 몇 명일까요?

(   )

11 위의 띠그래프를 보고 알 수 있는 사실을 한 가지만 써 보세요.

_____

_____

여러 가지 그래프를 비교하기

[12~13] 어느 지역의 계절별 강수량을 조사하여 나타낸 그래프입니다. 물음에 답하세요.

계절별 강수량

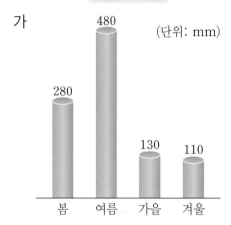

가   (단위: mm)

봄 280, 여름 480, 가을 130, 겨울 110

계절별 강수량

나   (총 1000 mm)

| 봄 (28 %) | 여름 (48 %) | 가을 (13 %) | 겨울 (11 %) |

12 각 그래프의 이름을 써 보세요.

가 (   )

나 (   )

13 각 그래프를 보고 알 수 있는 내용을 써 보세요.

가 _____

나 _____

5

여러 가지 그래프

01 어느 아파트의 동별 재활용품 병류의 배출량을 나타낸 표를 보고 그림그래프로 나타내어 보세요.

Tip

병류 배출량

동	A	B	C	D	E
배출량(kg)	130	310	240	250	50

병류 배출량

동	배출량
A	
B	
C	
D	
E	

🍾 : 100 kg

🍶 : 10 kg

[02~03] 이레네 학교의 학년별 학생 수를 나타낸 표입니다. 물음에 답하세요.

학년별 학생 수

학년	1학년	2학년	3학년	4학년	5학년	6학년	합계
학생 수(명)	50	75	50	75	100	150	500
백분율(%)	10	15	10	15	20		

02 전체 학생 수에 대한 6학년 학생 수의 백분율은 얼마일까요?

$$6학년: \frac{150}{500} \times 100 = \boxed{} (\%)$$

• 비율에 100을 곱하면 백분율이 됩니다.

03 원그래프로 나타내어 보세요.

학년별 학생 수

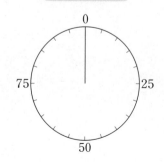

원그래프는 각 항목들이 차지하는 백분율의 크기만큼 선을 그어 원을 나눠요.

• 스피드 정답표 13쪽, 정답 42쪽 ◯ 월 ◯ 일

[04~06] 은지네 반 학생들이 친해지고 싶은 친구의 유형을 조사하여 나타낸 표입니다. 물음에 답하세요.

Tip

친해지고 싶은 친구 유형별 학생 수

유형	운동을 잘하는 친구	재미있는 친구	착한 친구	기타	합계
학생 수(명)	9	15	3	3	30
백분율(%)					

04 친해지고 싶은 친구 유형별 학생 수의 백분율을 구하여 표를 완성해 보세요.

05 각 유형의 백분율을 모두 더하면 얼마일까요? ( )

06 띠그래프를 완성해 보세요.

친해지고 싶은 친구 유형별 학생 수

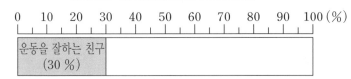

• 띠그래프 그리는 방법
① 각 항목별 백분율을 구합니다.
② 각 항목의 백분율의 합계가 100 %가 되는지 확인합니다.
③ 각 항목의 백분율의 크기만큼 띠를 나눕니다.
④ 나눈 부분에 각 항목의 내용과 백분율을 씁니다.
⑤ 띠그래프의 제목을 씁니다.

[07~08] 정민이네 학교 전체 학생들을 대상으로 가고 싶은 체험 학습 장소를 조사하여 나타낸 원그래프입니다. 물음에 답하세요.

체험 학습 장소별 학생 수

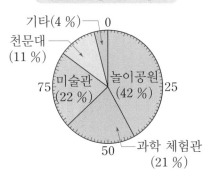

07 가장 많은 학생이 가고 싶어하는 체험 학습 장소는 어디일까요?

( )

• 백분율이 클수록 학생 수가 많습니다.

08 놀이공원에 가고 싶은 학생 수는 천문대에 가고 싶은 학생 수의 약 몇 배일까요?

약 ( )

[09~11] 어느 마을의 재활용품별 배출량을 나타낸 그림그래프입니다. 물음에 답하세요.

Tip

재활용품별 배출량

플라스틱류	병류
종이류	비닐류

: 500 kg : 100 kg

09 표를 완성해 보세요.

재활용품별 배출량

종류	플라스틱류	병류	종이류	비닐류	합계
배출량(kg)		500	600	200	2000
백분율(%)	35	25		10	100

• 비율에 100을 곱하면 백분율이 됩니다.

10 띠그래프로 나타내어 보세요.

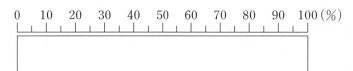

재활용품별 배출량

0 10 20 30 40 50 60 70 80 90 100 (%)

• 띠그래프로 나타낼 때 각 항목이 차지하는 백분율의 크기만큼 선을 그어 띠를 나눕니다.

11 원그래프로 나타내어 보세요.

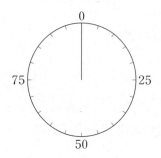

재활용품별 배출량

원그래프는 원의 중심에서 원그래프에 그려진 눈금까지 선으로 이어요.

[12~13] 재현이네 학교 6학년 학생들이 좋아하는 꽃을 조사하여 나타낸 띠 그래프입니다. 물음에 답하세요.

Tip

좋아하는 꽃별 학생 수

| 장미 (30 %) | 튤립 (25 %) | 백합 (20 %) | 개나리 (10 %) | 기타 (15 %) |

12 백합을 좋아하는 학생 수는 개나리를 좋아하는 학생 수의 몇 배일까요?

(   )

• 백합, 개나리를 좋아하는 학생 수의 비율을 먼저 구합니다.

13 백합을 좋아하는 학생이 60명이라면 개나리를 좋아하는 학생은 몇 명일까요?

(   )

5

여러 가지 그래프

[14~16] 주하네 학교 학생들의 혈액형을 조사하여 나타낸 원그래프입니다. 물음에 답하세요.

혈액형별 학생 수

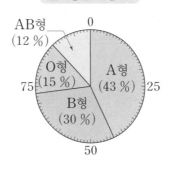

AB형 (12 %)
O형 (15 %)
A형 (43 %)
B형 (30 %)

14 어느 혈액형이 가장 많을까요?

(   )

가장 많은 혈액형은 원그래프에서 가장 넓은 부분을 차지해요.

15 B형인 학생 수는 O형인 학생 수의 몇 배일까요?

(   )

16 원그래프를 보고 알 수 있는 것을 한 가지 써 보세요.

[01~03] 현우네 반 학생들이 좋아하는 반찬을 조사하여 나타낸 표입니다. 물음에 답하세요.

좋아하는 반찬별 학생 수

반찬	장조림	김치	달걀찜	콩자반	합계
학생 수(명)	9	6	12	3	30
백분율(%)					

01 백분율을 구하여 표를 완성해 보세요.

02 위의 표를 보고 띠그래프로 나타내어 보세요.

좋아하는 반찬별 학생 수

0 10 20 30 40 50 60 70 80 90 100 (%)

03 표와 02의 띠그래프 중에서 각 항목끼리의 비율을 더 쉽게 비교할 수 있는 것은 어느 것일까요?

( )

[04~07] 6학년 학생들이 좋아하는 과일을 조사하여 나타낸 띠그래프입니다. 물음에 답하세요.

좋아하는 과일별 학생 수

0 10 20 30 40 50 60 70 80 90 100 (%)

사과 (20 %)	귤 (30 %)	포도 (20 %)	수박 (15 %)	기타 (15 %)

04 수박을 좋아하는 학생은 전체 학생의 몇 %일까요?

( )

05 학생들이 좋아하는 과일의 비율이 사과와 같은 과일은 무엇일까요?

( )

06 가장 많은 학생이 좋아하는 과일은 무엇일까요?

( )

07 수박을 좋아하는 학생이 30명이라면 귤을 좋아하는 학생은 몇 명일까요?

( )

[08~10] 정호네 농장에 있는 가축을 조사하였더니 염소 18마리, 소 12마리, 닭 21마리, 토끼 9마리였습니다. 물음에 답하세요.

08 표로 나타내어 보세요.

가축별 수

종류	염소	소	닭	토끼	합계
가축 수(마리)					
백분율(%)					

09 띠그래프로 나타내어 보세요.

가축별 수

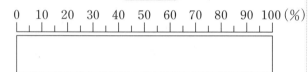

10 원그래프로 나타내어 보세요.

가축별 수

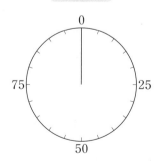

[11~14] 서윤이네 반 학생들이 가고 싶어 하는 산을 조사하여 나타낸 원그래프입니다. 물음에 답하세요.

가고 싶어 하는 산별 학생 수

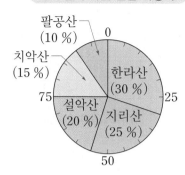

11 전체 학생의 25 %인 학생들이 가고 싶어 하는 산은 어디일까요?

( )

12 가장 많은 학생이 가고 싶어 하는 산은 어디일까요?

( )

13 지리산이나 치악산을 가고 싶어 하는 학생은 전체 학생의 몇 %일까요?

( )

14 백분율과 학생 수 사이의 관계를 써 보세요.

_____

_____

5 여 러 가 지 그 래 프

15 친구들이 좋아하는 우유를 조사하여 나타낸 띠그래프입니다. 띠그래프를 원그래프로 나타내어 보세요.

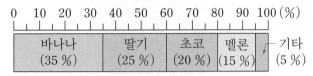

우유의 종류별 학생 수

우유의 종류별 학생 수

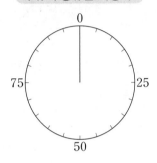

[16~17] 지우네 학교에서 일주일 동안 발생하는 쓰레기의 양을 조사하여 나타낸 원그래프입니다. 물음에 답하세요.

종류별 쓰레기의 양

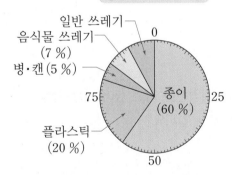

16 일반 쓰레기는 전체 쓰레기의 몇 %를 차지할까요?

( )

17 병·캔의 무게가 7 kg이라면 플라스틱의 무게는 몇 kg일까요?

( )

[18~20] 원진이는 학교에서 어린이 안전사고가 자주 발생하는 장소를 조사하고, 학생들을 대상으로 안전한 학교 생활에 필요한 수칙을 조사했습니다. 물음에 답하세요.

장소별 안전사고 발생 수

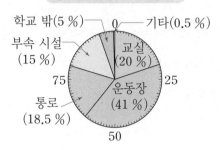

안전한 학교 생활 수칙

수칙	학생 수(명)
위험한 곳에 가지 않기	160
경기 규칙 잘 지키기	230
놀이 기구의 바른 사용법 익히기	140
친구와 장난치지 않기	240
기타	30
합계	800

18 운동장은 교실보다 안전사고가 약 몇 배 더 많이 발생할까요?

약 ( )

19 교실 또는 통로에서 발생하는 안전사고는 전체의 몇 %일까요?

( )

20 안전한 학교 생활 수칙을 그림그래프로 나타내어 보세요.

안전한 학교 생활 수칙

수칙	학생 수
위험한 곳에 가지 않기	
경기 규칙 잘 지키기	
놀이 기구의 바른 사용법 익히기	
친구와 장난치지 않기	
기타	

😊 100명 😊 10명

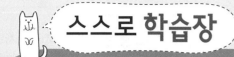

스스로 학습장

스스로 학습장은 이 단원에서 배운 것을 확인하는 코너입니다. 몰랐던 것은 꼭 다시 공부해서 내 것으로 만들어 보아요.

• 스피드 정답표 14쪽, 정답 44쪽

✸ 표를 보고 띠그래프와 원그래프로 나타내어 보세요.

1 주하네 학교 4학년에서 6학년까지 학생들이 좋아하는 급식 메뉴를 조사하여 나타낸 표를 완성하고 띠그래프와 원그래프로 나타내어 보세요.

좋아하는 급식 메뉴별 학생 수

메뉴	돈가스	닭강정	불고기	소시지	어묵	합계
학생 수(명)	100	150	125	75	50	500
백분율(%)						

좋아하는 급식 메뉴별 학생 수

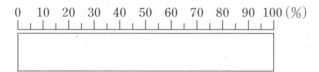

좋아하는 급식 메뉴별 학생 수

2 재원이가 한 달에 쓴 용돈의 쓰임새를 나타낸 표를 완성하고 띠그래프와 원그래프로 나타내어 보세요.

용돈의 지출 항목별 금액

지출 항목	학용품	저금	군것질	기부	기타	합계
금액(원)	6000	3000	12000	3000	6000	30000
백분율(%)						

용돈의 지출 항목별 금액

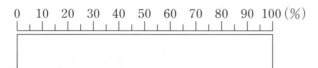

용돈의 지출 항목별 금액

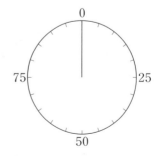

5

여러 가지 그래프

6

직육면체의 부피와 겉넓이

QR 코드를 찍으면
6단원 개념 동영상
강의를 볼 수 있어요.

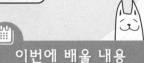

이번에 배울 내용

- 직육면체의 부피 비교
- 직육면체, 정육면체의 부피 구하기
- m³ 알아보기
- 직육면체, 정육면체의 겉넓이 구하기

정말 아슬아슬하게 이겼어.

하하

맞아, 마지막 주자로 나선 이 몸 덕분이지.

에헴

무슨 소리예요? 첫 주자로 나선 제 덕분이죠!

뭐라고?

어쭈!

씩 씩

흥!

할아버지께 여쭤봐요. 누구 때문에 우승한 건지!

그래!

그건 우리 모두의 승리란다!

맞아!

에이~. 시시해.

우승하니까 선물도 받았잖아!

헤헤~ 맞아요.

사진도 받았어.

잠깐! 지수 사진은 크게 뽑아주고…….

헤 헤

내 것은 작아요.

사진이 직사각형 모양이네. 직사각형의 넓이는 구할 수 있지?

물론이죠.

(직사각형의 넓이)=(가로)×(세로)입니다.

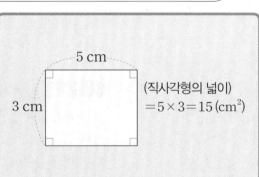

5 cm

3 cm

(직사각형의 넓이)
=5×3=15 (cm²)

$$(직사각형의 넓이) = 5 \times 3 = 15 \, (\text{cm}^2)$$

지수가 예쁘니까 크게 뽑아준 거지.

큭큭

헐

네 선물이 더 큰 거 같아. 나랑 바꿔!

알았어. 바꾸자.

빨리 뜯어봐야징~.

나도!

헉! 이게 뭐야?

집에 넘치는 게 연필인데…….

예~

와~ 난 문화상품권이 두 장이야.

헉!

돌려줘~. 그게 원래 내 것이었어.

헉

싫어! 왜 이랬다 저랬다야!

1 평행사변형의 넓이는 몇 cm²인지 구하세요.

(1)

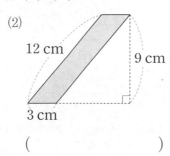

4 cm

6 cm

(

)

(2)

12 cm

9 cm

3 cm

(

)

개념 체크 **1** ◀ 5학년 1학기 6단원

평행사변형의 넓이

(평행사변형의 넓이)

=(밑변의 길이)×(높이)

예

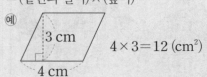

3 cm

4 cm

$4 \times 3 = 12 \ (cm^2)$

2 사다리꼴의 넓이는 몇 cm²인지 구하세요.

(1)

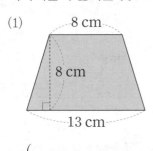

8 cm

8 cm

13 cm

(

)

(2)

15 cm

6 cm

18 cm

(

)

개념 체크 **2** ◀ 5학년 1학기 6단원

사다리꼴의 넓이

(사다리꼴의 넓이)

=((윗변의 길이)+(아랫변의 길이))

×(높이)÷2

예

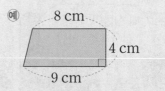

8 cm

4 cm

9 cm

$(8+9) \times 4 \div 2 = 34 \ (cm^2)$

3 마름모의 넓이가 96 cm²일 때, □ 안에 알맞은 수를 써넣으세요.

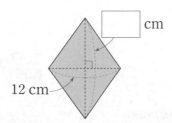

cm

12 cm

개념 체크 **3** ◀ 5학년 1학기 6단원

마름모의 넓이

(마름모의 넓이)

=(한 대각선의 길이)

×(다른 대각선의 길이)÷2

예

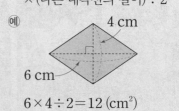

4 cm

6 cm

$6 \times 4 \div 2 = 12 \ (cm^2)$

4 □ 안에 알맞은 수를 구하세요.

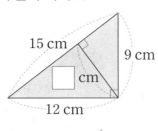

(   )

개념 체크 **4** ◀ 5학년 1학기 6단원

삼각형의 높이 구하기
(높이)=(삼각형의 넓이)×2÷(밑변의 길이)

5 다각형의 넓이는 몇 cm²인지 구하세요.

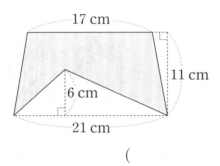

(   )

개념 체크 **5** ◀ 5학년 1학기 6단원

다각형의 넓이 구하기
도형을 여러 조각으로 나눠서 구하거나 전체에서 부분을 빼서 구합니다.

6 그림과 같은 직육면체의 모든 모서리의 길이의 합은 몇 cm 일까요?

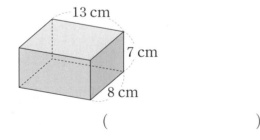

(   )

개념 체크 **6** ◀ 5학년 2학기 5단원

직육면체의 모서리
면과 면이 만나는 선분을 모서리라고 하고 직육면체의 모서리는 모두 12개입니다.

7 밑면이 다음과 같은 각기둥의 이름과 면, 모서리, 꼭짓점의 수를 써 보세요.

각기둥의 이름	면의 수 (개)	모서리의 수(개)	꼭짓점의 수(개)

개념 체크 **7** ◀ 6학년 1학기 2단원

각기둥의 면, 모서리, 꼭짓점의 수
(면의 수)=(한 밑면의 변의 수)+2
(모서리의 수)=(한 밑면의 변의 수)×3
(꼭짓점의 수)=(한 밑면의 변의 수)×2

6
직육면체의 부피와 겉넓이

내가 여기 온 날도 보름달이 떴을 때였잖아. 오늘이 바로 그 날이야.

오늘 가시겠다구요?

응, 시도는 해봐야지.

보름달이 뜨면 갈릴레오가 살던 시대로 숫자를 맞춰보자.

흑

여기 있는 동안 정말 즐거웠어.

즐거웠어요.

저도요!

자, 이거 챙겨 가요.

아, 네…… 고맙습니다.

여기에 담아 가세요.

제가 가져온 상자에 담아 가세요.

그럼 부피를 비교해보자.

부피?

어떤 물건이 공간에서 차지하는 크기를 부피라고 해.
두 상자의 부피를 맞대어 비교해볼까?

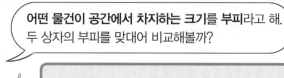

가   나

9 cm

12 cm

12 cm

12 cm

12 cm

12 cm

한 면을 직접 대어 보면 부피가 더 큰 것은 나입니다.

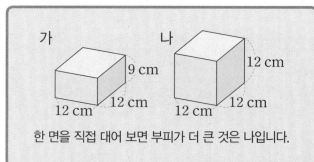

한 면을 대어 보자.

내가 가져온 게 좀 더 큰 거 같아.

준수가 가져온 상자에 담아.

네.

◎ **직육면체의 부피 비교하기**

• 맞대어 비교하기

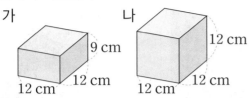

한 면을 직접 대어 보면 부피가 더 큰 것은 나입니다.

• 쌓기나무를 사용하여 비교하기

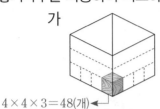

$4 \times 4 \times 3 = 48$(개) ◀　　　▶ $4 \times 3 \times 3 = 36$(개)

쌓기나무가 가 상자에는 48개, 나 상자에는 ❶[　　　]개가 들어갑니다.

부피가 더 큰 것은 가 상자입니다.

　→ 쌓기나무가 더 많이 들어가는 것

부피가 뭐예요?

어떤 물건이 공간에서 차지하는 크기를 부피라고 한단다.

◐ 정답　❶ 36

[1~4] 쌓기나무를 사용하여 두 직육면체의 부피를 비교하려고 합니다. 물음에 답하세요.

가　　　　　나

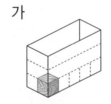

1 가 안에 쌓기나무를 몇 개 담을 수 있을까요?

(　　　　　　　)

2 나 안에 쌓기나무를 몇 개 담을 수 있을까요?

(　　　　　　　)

3 가와 나 중에서 쌓기나무를 더 많이 담을 수 있는 것의 기호를 쓰세요.

(　　　　　　　)

4 가와 나 중에서 부피가 더 큰 것의 기호를 쓰세요.

(　　　　　　　)

6

직육면체의 부피와 겉넓이

다 담았다.

후~

그런데 직육면체의 부피는 어떻게 구해요?

궁금하지?

먼저 한 모서리의 길이가 1 cm인 정육면체의 부피를 1 cm³라고 해.

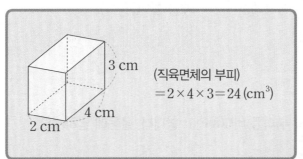

(직육면체의 부피)=(가로)×(세로)×(높이)
　　　　　　　　　　=(밑면의 넓이)×(높이)로 구한단다.

3 cm

4 cm

2 cm

(직육면체의 부피)
$=2 \times 4 \times 3 = 24\,(\mathrm{cm}^3)$

아~ 그렇군요.

에헴

이제 슬슬 인사를 나누자.

끙

그동안 즐거웠어.

저도요!

잘 있어요.

안녕히 가세요.

그런데 준수는 어디 있지?

두리번　두리번

글쎄요?

저 여기 있어요.

?!

끙끙

◎ 직육면체의 부피 구하기

• $1\,cm^3$(1 세제곱센티미터): 한 모서리의 길이가 1 cm인 정육면체의 부피

$$1\,cm^3$$

• (직육면체의 부피)=(가로)×(세로)×(높이)
        =(밑면의 넓이)×(높이)

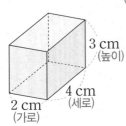

(직육면체의 부피)$=2 \times 4 \times 3 = 24\,(cm^3)$

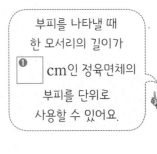

부피를 나타낼 때
한 모서리의 길이가
❶ cm인 정육면체의
부피를 단위로
사용할 수 있어요.

❹ 정답 ❶ 1

[1~2] 부피가 $1\,cm^3$인 쌓기나무를 사용하여 직육면체의 부피를 구하세요.

1

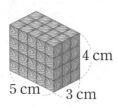

$5 \times \boxed{} \times 4 = \boxed{}\,(cm^3)$

2

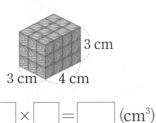

$3 \times \boxed{} \times \boxed{} = \boxed{}\,(cm^3)$

[3~6] 직육면체의 부피를 구하세요.

3

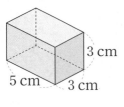

(   )

4

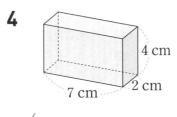

(   )

5

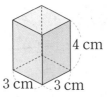

(   )

6

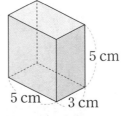

(   )

6

직육면체의 부피와 겉넓이

(정육면체의 부피)=(한 모서리의 길이)×(한 모서리의 길이)×(한 모서리의 길이)란다.

$$(\text{정육면체의 부피}) = 4 \times 4 \times 4 = 64 \,(\text{cm}^3)$$

4 cm

정육면체의 부피는 한 모서리의 길이만 알아도 구할 수 있습니다.

◎ 정육면체의 부피 구하기

(정육면체의 부피)=(한 모서리의 길이)×(한 모서리의 길이)×(한 모서리의 길이)

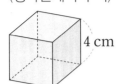

(정육면체의 부피)$=4 \times 4 \times 4 =$ ❶ ☐ (cm^3)

정육면체는
모서리 12개의 길이가
모두 같아요.

↪ 정답 ❶ 64

[1~2] 다음 정육면체의 부피를 알아보려고 합니다. 물음에 답하세요.

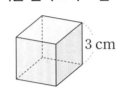

3 cm

정육면체는
한 모서리의 길이만 알아도
부피를 구할 수 있어요.

1 정육면체의 부피를 구하는 방법입니다. ☐ 안에 알맞은 말을 써넣으세요.

(정육면체의 부피)=(한 모서리의 길이)×(☐)×(☐)

2 정육면체의 부피는 몇 cm^3일까요?

(정육면체의 부피)=☐×☐×☐=☐ (cm^3)

[3~6] 정육면체의 부피는 몇 cm^3인지 구하세요.

3

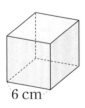

6 cm

(   )

4

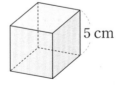

5 cm

(   )

5

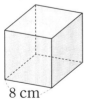

8 cm

(   )

6

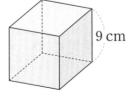

9 cm

(   )

직육면체의 부피 비교하기

01 가와 나 중에서 부피가 더 큰 직육면체는 어느 것일까요?

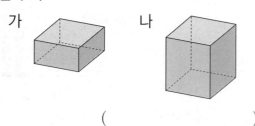

가　　　　나

(　　　　　　　　)

02 부피가 큰 직육면체부터 차례대로 기호를 쓰세요.

가　　　나　　　다

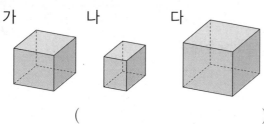

(　　　　　　　　)

직육면체, 정육면체의 부피 구하기

[03~04] 쌓기나무 1개의 부피가 1 cm³라고 할 때, 다음 직육면체의 부피를 쌓기나무의 수를 세어서 구하세요.

03

쌓기나무의 수: ☐ 개

부피: ☐ cm³

04

쌓기나무의 수: ☐ 개

부피: ☐ cm³

[05~12] 직육면체의 부피는 몇 cm³인지 구하세요.

05

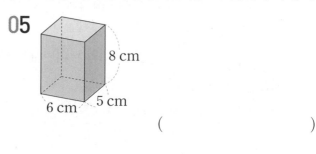

8 cm
6 cm　5 cm

(　　　　　　　　)

06

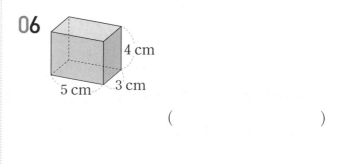

4 cm
5 cm　3 cm

(　　　　　　　　)

07

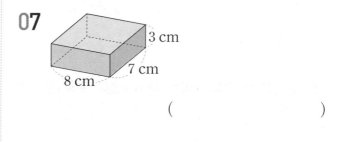

3 cm
8 cm　7 cm

(　　　　　　　　)

08

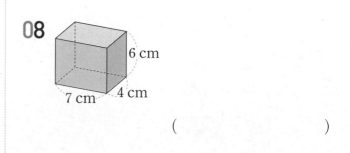

6 cm
7 cm　4 cm

(　　　　　　　　)

09

7 cm
6 cm
9 cm

(   )

[13~16] 다음 입체도형의 부피는 몇 cm³인지 구하세요.

13

> 가로가 10 cm, 세로가 15 cm,
> 높이가 2 cm인 직육면체

(   )

10

4 cm
7 cm
10 cm

(   )

14

> 가로가 5 cm, 세로가 9 cm,
> 높이가 7 cm인 직육면체

(   )

11

20 cm
20 cm
20 cm

(   )

15

> 한 모서리의 길이가 7 cm인 정육면체

(   )

12

10 cm
10 cm
10 cm

(   )

16

> 가로가 9 cm, 세로가 12 cm,
> 높이가 5 cm인 직육면체

(   )

6

직육면체의 부피와 겉넓이

교과서 개념

m³를 알 수 있나요?

더 큰 상자가 필요할 거 같아요. 한 모서리의 길이가 1 m인 것으로요.

그러니까 도대체 왜?

빨리 말해봐.

그럼 한 모서리의 길이가 1 m인 상자의 부피를 알아볼까?

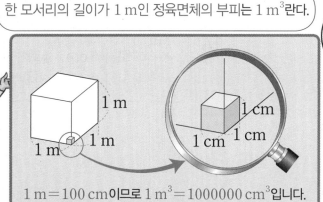

한 모서리의 길이가 1 m인 정육면체의 부피는 1 m³란다.

1 m = 100 cm이므로 1 m³ = 1000000 cm³입니다.

음....... 이 정도면 충분하겠어.

영차

헉! 뭐 하는 거야, 지금?

낑 낑

나도 스승님 따라가려고.

그 박스에 들어가면 따라갈 수 있을까?

빨리 나와!

싫어!

너 공부 안 하고 그곳에서 놀려고 그러는 거지.

턱 턱

헉, 들켰네~.

후~

으이구~.

◎ m³ **알아보기**

1 m³(1 세제곱미터): 한 모서리의 길이가 1 m인 정육면체의 부피

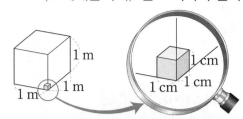

$$1 \, m^3$$

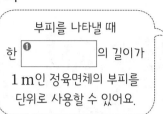

부피를 나타낼 때

한 ❶☐☐☐☐☐의 길이가 1 m인 정육면체의 부피를 단위로 사용할 수 있어요.

부피가 1 m³인 정육면체를 만드는 데 부피가 1 cm³인 쌓기나무가 1000000개 필요합니다.

◎ 정답 ❶ 모서리

---

1 1 m³와 1 cm³의 관계를 알아보려고 합니다. ☐ 안에 알맞은 수를 써넣으세요.

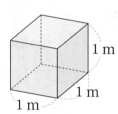

(1) 정육면체의 부피는 $1 \times \boxed{} \times \boxed{} = \boxed{}$ (m³)입니다.

(2) 1 m는 100 cm이므로 정육면체의 부피는

$100 \times \boxed{} \times \boxed{} = \boxed{}$ (cm³)입니다.

(3) 따라서 $1 \, m^3 = \boxed{}$ cm³입니다.

[2~4] ☐ 안에 알맞은 수를 써넣으세요.

2 $3 \, m^3 = \boxed{}$ cm³

3 $7 \, m^3 = \boxed{}$ cm³

4 $\boxed{} \, m^3 = 9000000$ cm³

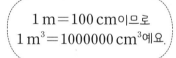

1 m=100 cm이므로
1 m³=1000000 cm³예요.

$1 \, m \times 1 \, m \times 1 \, m$
$= 1 \, m^3$
⬇
$100 \, cm \times 100 \, cm \times 100 \, cm$
$= 1000000 \, cm^3$

[5~6] 직육면체의 부피는 몇 m³인지 구하세요.

5

500 cm

800 cm   300 cm

(   )

6

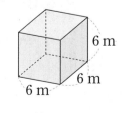

6 m

6 m

6 m

(   )

6

직육면체의

부피와 겉넓이

나 정말 스승님 따라서 가고 싶단 말이야.

쓸데없는 소리 하지 매!

널 보냈다간 네 엄마에게 무슨 소릴 들을 줄 알고!

준수야, 문제를 맞히면 같이 가는 거 한번 생각해볼게.

직육면체의 겉넓이를 구하는 방법을 알고 있니?

음…… 어렵군.

으이구~.

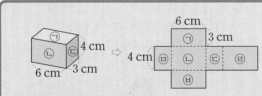

직육면체의 겉넓이는 여섯 면의 넓이의 합으로 구할 수 있어요.

(여섯 면의 넓이의 합)
$= ㉠+㉡+㉢+㉣+㉤+㉥$
$= 6 \times 3 + 6 \times 4 + 3 \times 4 + 6 \times 4 + 3 \times 4 + 6 \times 3$
$= 108 \, (cm^2)$

제가 따라 갈게요.

너 어디가?

떠나는 모습을 보는 게 너무 슬펐나봐.

녀석…….

보름달이야.

개념 클릭

◎ 직육면체의 겉넓이 구하기

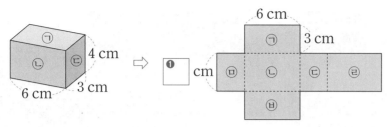

직육면체의 여섯 면의 넓이의 합이 직육면체의 겉넓이예요.

방법1 (여섯 면의 넓이의 합)=㉠+㉡+㉢+㉣+㉤+㉥

$= 6 \times 3 + 6 \times 4 + 3 \times 4 + 6 \times 4 + 3 \times 4 + 6 \times 3$

$= \boxed{❷} \ (cm^2)$

방법2 (한 꼭짓점에서 만나는 세 면의 넓이의 합)×2

$= (㉠+㉡+㉢) \times 2$

$= (6 \times 3 + 6 \times 4 + 3 \times \boxed{❸}) \times 2 = 108 \ (cm^2)$

➡ 정답 ❶ 4 ❷ 108 ❸ 4

---

1 직육면체의 겉넓이를 구하려고 합니다. □ 안에 알맞은 수를 써넣으세요.

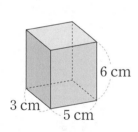

(1) (여섯 면의 넓이의 합)= $\boxed{}$ + $\boxed{}$ + $\boxed{}$ + $\boxed{}$ + $\boxed{}$

+ $\boxed{}$ = $\boxed{}$ (cm^2)

(2) (한 꼭짓점에서 만나는 세 면의 넓이의 합)×2

$= (3 \times 6 + 5 \times 6 + 3 \times \boxed{}) \times \boxed{} = \boxed{}$ (cm^2)

[2~5] 직육면체의 겉넓이는 몇 cm^2인지 구하세요.

2

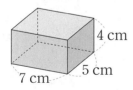

(   )

3

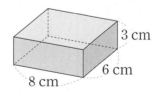

(   )

4

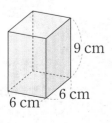

(   )

5

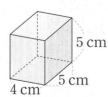

(   )

됐다!

정육면체의 겉넓이를 구했어요.

어떻게 구했어?

자, 내가 알려줄게.

정육면체가 더 쉽더라.

척

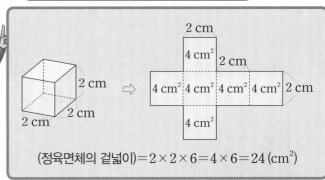

정육면체는 여섯 면의 넓이가 모두 같아.

$$(정육면체의\ 겉넓이)=2×2×6=4×6=24\,(cm^2)$$

오~ 맞았어.

하하하

이제 스승님을 따라갈 수 있겠어.

두리번 두리번

엇, 스승님은 어디 계시지?

조금 전에 떠나셨는데?

뭐라고?

작별 인사도 못 했는데?

힝

우린 네가 슬퍼서 숨어서 우는 줄 알았지……

스승님~.

하하하.

• 스피드 정답표 15쪽, 정답 46쪽 월 일

◎ **정육면체의 겉넓이 구하기**

(정육면체의 겉넓이)＝(한 모서리의 길이)×(한 모서리의 길이)×6

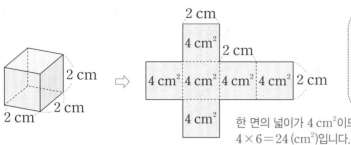

정육면체는 여섯 면의 넓이가 모두 같으므로 정육면체의 겉넓이는 한 면의 넓이를 ❶ 배 해요.

한 면의 넓이가 4 cm^2이므로 정육면체의 겉넓이는 $4 \times 6 = 24 \text{ (cm}^2)$입니다.

(정육면체의 겉넓이)＝$2 \times 2 \times 6 = 24 \text{ (cm}^2)$

⟳ 정답 ❶ 6

1 정육면체의 겉넓이를 구하려고 합니다. □ 안에 알맞은 수를 써넣으세요.

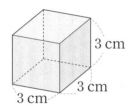

(정육면체의 겉넓이)

$= 3 \times 3 \times \boxed{} = \boxed{} \text{ (cm}^2)$

[2~5] 정육면체의 겉넓이는 몇 cm^2인지 구하세요.

2

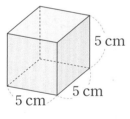

(   )

3

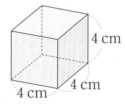

(   )

4

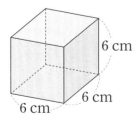

(   )

5

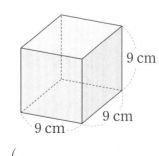

(   )

6 직육면체의 부피와 겉넓이

m³ 알아보기

[01~06] □ 안에 알맞은 수를 써넣으세요.

01 9 m³ = [   ] cm³

02 1.5 m³ = [   ] cm³

03 7000000 cm³ = [   ] m³

04 2400000 cm³ = [   ] m³

05 3600000 cm³ = [   ] m³

06 5800000 cm³ = [   ] m³

직육면체, 정육면체의 겉넓이 구하기

[07~08] 직육면체의 겉넓이를 구하려고 합니다. □ 안에 알맞은 수를 써넣으세요.

07

(1) (여섯 면의 넓이의 합) = [   ] + [   ]

   + [   ] + [   ] + [   ] + [   ]

   = [   ] (cm²)

(2) (한 꼭짓점에서 만나는 세 면의 넓이의
   합) × 2

   = ([   ] + 12 + 6) × 2 = [   ] (cm²)

08

(1) (여섯 면의 넓이의 합) = [   ] + [   ]

   + [   ] + [   ] + [   ] + [   ]

   = [   ] (cm²)

(2) (한 꼭짓점에서 만나는 세 면의 넓이의
   합) × 2

   = ([   ] + [   ] + [   ]) × 2

   = [   ] (cm²)

[09~11] 정육면체의 겉넓이를 구하세요.

09

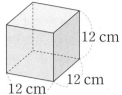

(겉넓이) = ☐ × ☐ × ☐

= ☐ (cm²)

10

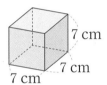

(겉넓이) = ☐ × ☐ × ☐

= ☐ (cm²)

11

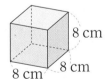

(겉넓이) = ☐ × ☐ × ☐

= ☐ (cm²)

[12~15] 직육면체의 겉넓이는 몇 cm²인지 구하세요.

12

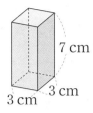

(   )

13

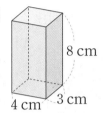

(   )

14

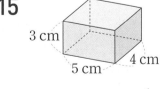

(   )

15

(   )

6

직육면체의 부피와 겉넓이

익힘책 익히기

01 그림을 보고 □ 안에 알맞게 써넣으세요.

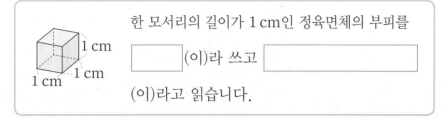

한 모서리의 길이가 1 cm인 정육면체의 부피를

☐ (이)라 쓰고 ☐☐☐☐☐☐☐☐

(이)라고 읽습니다.

Tip

우리 주변에서 부피가 1 cm³와 가장 비슷한 물건을 찾아보면 각설탕의 부피가 1 cm³와 가장 비슷해요.

02 부피가 1 cm³인 쌓기나무로 다음과 같이 직육면체를 만들었습니다. 가는 나보다 부피가 몇 cm³ 더 큰지 구하세요.

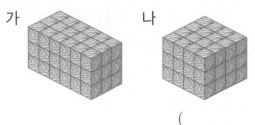

가   나

(   )

• 부피가 1 cm³인 쌓기나무의 수를 각각 세어 보세요.

03 세 포장 상자에 크기가 같은 과자 상자를 담아 세 포장 상자의 부피를 비교하려고 합니다. 물음에 답하세요.

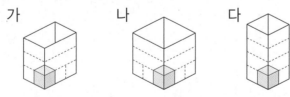

가   나   다

(1) 가, 나, 다 포장 상자에 담을 수 있는 과자 상자의 수는 몇 개일까요?

가 (   )

나 (   )

다 (   )

(2) 부피가 가장 큰 포장 상자의 기호를 쓰세요.

(   )

04 가로가 3 cm, 세로가 7 cm, 높이가 10 cm인 직육면체 모양의 상자가 있습니다. 이 상자의 부피는 몇 cm³인지 식을 쓰고 답을 구하세요.

식 _____

답 _____

05 직육면체 모양의 상자의 부피는 240 cm³입니다. 이 상자의 높이는 몇 cm일까요?

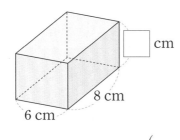

(_____)

(직육면체의 부피)
=(가로)×(세로)×(높이)

06 두 직육면체의 부피가 같습니다. □ 안에 알맞은 수를 써넣으세요.

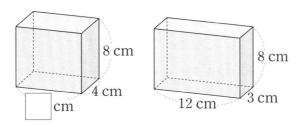

• 오른쪽 직육면체의 부피를 먼저 구합니다.

07 크기가 같은 작은 정육면체 여러 개를 정육면체 모양으로 쌓은 것입니다. 쌓은 정육면체 모양의 부피가 512 cm³일 때 작은 정육면체의 한 모서리의 길이는 몇 cm일까요?

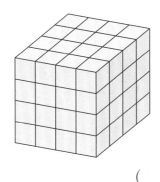

(_____)

• 작은 정육면체가 몇 개인지 알아보고 작은 정육면체 한 개의 부피를 구해서 한 모서리의 길이를 구합니다.

6
직육면체의 부피와 겉넓이

08 직육면체를 보고 물음에 답하세요.

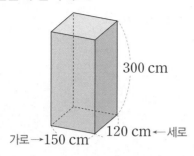

(1) 직육면체의 가로, 세로, 높이를 m로 나타내어 보세요.

가로 (   )

세로 (   )

높이 (   )

(2) 직육면체의 부피는 몇 m^3인지 구하세요.

(   )

09 ☐ 안에 알맞은 수를 써넣으세요.

(1) $5 \text{ m}^3 =$ ☐ cm^3 (2) $8000000 \text{ cm}^3 =$ ☐ m^3

(3) $1.2 \text{ m}^3 =$ ☐ cm^3 (4) $5400000 \text{ cm}^3 =$ ☐ m^3

10 직육면체의 겉넓이를 옆면과 두 밑면의 넓이의 합으로 구하려고 합니다.
☐ 안에 알맞은 수를 써넣으세요.

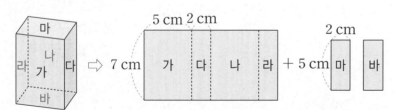

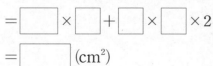

(직육면체의 겉넓이)=(옆면의 넓이)+(한 밑면의 넓이)×2

= ☐ × ☐ + ☐ × ☐ ×2

= ☐ (cm^2)

11 다음 전개도를 이용하여 정육면체 모양의 상자를 만들었습니다. 만든 상자의 겉넓이는 cm²인지 식을 쓰고 답을 구하세요.

Tip

· 정육면체는 여섯 면의 넓이가 모두 같습니다.

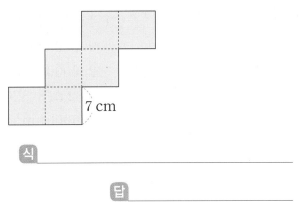

식 _____

답 _____

12 직육면체의 겉넓이는 304 cm²입니다. □ 안에 알맞은 수를 써넣으세요.

· 직육면체의 겉넓이는 여섯 면의 넓이의 합입니다.

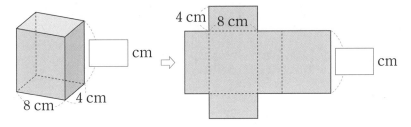

13 희준이와 윤경이는 각각 직육면체 모양의 상자를 만들었습니다. 누가 만든 상자의 겉넓이가 얼마나 더 큰지 구하세요.

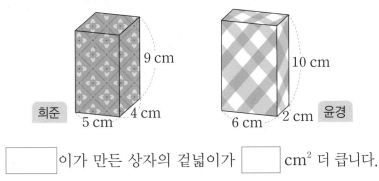

[　　　]이가 만든 상자의 겉넓이가 [　　] cm² 더 큽니다.

6

직육면체의 부피와 겉넓이

01 오른쪽 직육면체를 보고 □ 안에 알맞은 수를 써넣으세요.

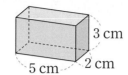

(직육면체의 부피)
= (가로) × (세로) × (높이)
= 5 × 2 × □ = □ (cm³)

02 한 모서리의 길이가 1 cm인 쌓기나무를 쌓아 만든 정육면체입니다. 이 정육면체의 부피는 몇 cm³일까요?

( )

[03~04] □ 안에 알맞은 수를 써넣으세요.

03 5 m³ = □ cm³

04 4200000 cm³ = □ m³

05 다음 중에서 **틀린** 것은 어느 것일까요?
....( )

① 4 m³ = 4000000 cm³
② 90000000 cm³ = 9 m³
③ 2500000 cm³ = 2.5 m³
④ 0.82 m³ = 820000 cm³
⑤ 700000 cm³ = 0.7 m³

06 직육면체의 부피는 몇 cm³인지 구하세요.

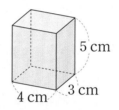

( )

07 정육면체의 부피는 몇 cm³인지 구하세요.

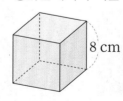

( )

08 직육면체의 겉넓이는 몇 cm²인지 구하세요.

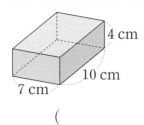

(   )

09 한 모서리의 길이가 9 cm인 정육면체의 겉넓이는 몇 cm²인지 구하세요.

(   )

10 □ 안에 알맞은 수를 써넣으세요.

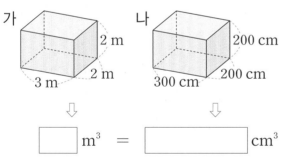

$$\boxed{} \text{ m}^3 \;=\; \boxed{} \text{ cm}^3$$

11 가로가 7 cm, 세로가 5 cm, 높이가 6 cm인 직육면체의 부피는 몇 cm³인지 구하세요.

(   )

12 직육면체 모양인 선물 상자의 겉면에 포장지를 꼭맞게 붙이려고 합니다. 필요한 포장지의 넓이는 적어도 몇 cm²인지 구하세요.

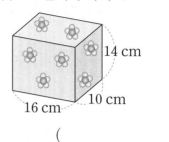

(   )

13 직육면체의 부피는 몇 m³인지 구하세요.

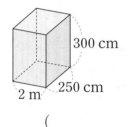

(   )

14 부피가 큰 순서대로 기호를 써 보세요.

┌─────────────────────────────┐
ㄱ 950000 cm³
ㄴ 한 모서리의 길이가 200 cm인 정육면체의 부피
ㄷ 가로가 0.9 m, 세로가 3 m, 높이가 80 cm인 직육면체의 부피
└─────────────────────────────┘

(,   ,   )

6

직육면체의
부피와 겉넓이

15 직육면체의 겉넓이는 126 cm²입니다. □ 안에 알맞은 수를 써넣으세요.

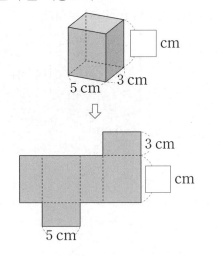

16 정육면체 가와 직육면체 나 중에서 겉넓이가 더 큰 것의 기호를 쓰세요.

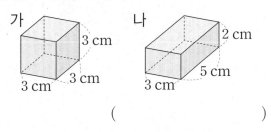

( )

17 직육면체의 부피가 126 m³라면 □ 안에 알맞은 수를 구하세요.

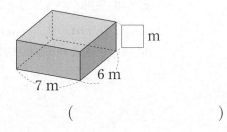

( )

18 정육면체의 한 면의 넓이가 100 cm²라고 할 때, 이 정육면체의 부피는 몇 cm³인지 구하세요.

( )

19 다음 직육면체의 부피는 100 cm³입니다. 이 직육면체의 겉넓이는 몇 cm²인지 구하세요.

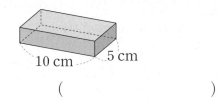

( )

20 가로가 5 m, 세로가 3 m, 높이가 2 m인 직육면체 모양의 창고가 있습니다. 이 창고에 한 모서리의 길이가 20 cm인 정육면체 모양의 상자를 빈틈없이 쌓으려고 합니다. 정육면체 모양의 상자를 모두 몇 개 쌓을 수 있을까요?

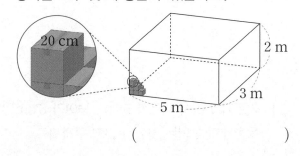

( )

스스로 학습장

• 스피드 정답표 15쪽, 정답 48쪽

✳ 전개도를 이용하여 직육면체 모양의 상자를 만들려고 합니다. 상자의 겉넓이와 부피를 구하세요.

1

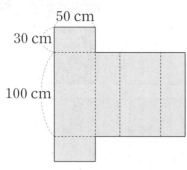

(1) 상자의 겉넓이는 몇 cm²일까요?
　　　　　(　　　　　　　　　)

(2) 상자의 부피는 몇 cm³일까요?
　　　　　(　　　　　　　　　)

(3) 상자의 부피를 m³로 나타내어 보세요.
　　　　　(　　　　　　　　　)

2

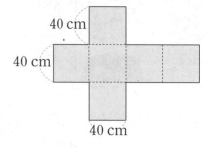

(1) 상자의 겉넓이는 몇 cm²일까요?
　　　　　(　　　　　　　　　)

(2) 상자의 부피는 몇 cm³일까요?
　　　　　(　　　　　　　　　)

(3) 상자의 부피를 m³로 나타내어 보세요.
　　　　　(　　　　　　　　　)

3

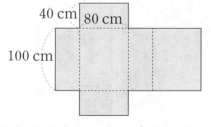

(1) 상자의 겉넓이는 몇 cm²일까요?
　　　　　(　　　　　　　　　)

(2) 상자의 부피는 몇 cm³일까요?
　　　　　(　　　　　　　　　)

(3) 상자의 부피를 m³로 나타내어 보세요.
　　　　　(　　　　　　　　　)

4

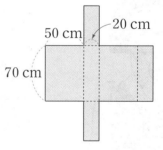

(1) 상자의 겉넓이는 몇 cm²일까요?
　　　　　(　　　　　　　　　)

(2) 상자의 부피는 몇 cm³일까요?
　　　　　(　　　　　　　　　)

(3) 상자의 부피를 m³로 나타내어 보세요.
　　　　　(　　　　　　　　　)

6
직육면체의 부피와 겉넓이

에필로그

갈릴레오가 살던 시대

이제야 돌아왔군.

꿈을 꾼 것만 같아.

아야~

벌써 그 곳이 그리워~.

아차, 내가 이러고 있을 때가 아니지.
잊기 전에 망원경을 만들어야지.

후다닥

교수님!

내가 얼마 동안
자리를 비운 거지?

몇 분밖에
안 되었는데요.

그런데 교수님,
그 특이한 옷은 어디서 사셨어요?

미래에서
유행하는 패션이지.

미래요?

그런 게 있어.

촤

악

교수님, 이건?

갈릴레오 갈릴레이(1564~1642)는 이탈리아 출신의 수학자, 천문학자입니다.

갈릴레오의 아버지는 갈릴레오가 의사가 되길 바랐대요. 갈릴레오는 아버지의 뜻에 따라 의대에 갔지만 수학과 과학에 더 흥미를 느꼈답니다.

갈릴레오는 진자의 등시성, 자유낙하운동, 관성의 법칙을 밝혀냈어요.

1608년에 네덜란드 사람이 망원경을 발명했다는 소식을 듣고 갈릴레오도 1609년에 망원경을 직접 만들어서 천체를 관측했어요.

갈릴레오는 코페르니쿠스가 주장한 태양이 중심에 있고 나머지 행성들이 태양의 주위를 돌고 있다는 지동설이 맞다고 생각했지요.

태양이 우주의 중심입니다.

맞습니다!

하지만 갈릴레오가 살던 시대에 로마 가톨릭 교회는 지구가 우주의 중심이고 모든 행성이 지구 주위를 돈다고 가르쳤지요.

우주의 중심은 지구랍니다.

갈릴레오는 종교 재판을 받게 되었어요.

지동설에 대해 말하지 않겠습니다.

이후 집으로 돌아온 갈릴레오는 집필에 몰두하다가 1642년에 세상과 이별하게 되었습니다.

난 지구야, 난 태양 주위를 돌고 있어.

초등 수학 라인업

난이도

최상

최강 TOT

최고 수준 S

최고 수준

응용 해결의 법칙

일등전략

심화

수학도
독해가 힘이다

초등 문해력
독해가 힘이다
[문장제 수학편]

유형

수학 전략

유형 해결의 법칙

우등생 해법수학

개념

개념클릭

모든 개념을
다 보는
해결의 법칙
개념 해결의 법칙

**기초
연산**

똑똑한 하루 시리즈 [수학/계산/도형/사고력]

계산박사

빅터연산

최하

평가 대비 특화 교재

수학 단원평가

해법수학
경시대회 기출문제

해법 예비 중학
신입생 수학

개념클릭

개념클릭

초등
수학

6·1

정답

및 풀이

천재교육

▶ 빠르게 정답을 확인하는 스피드 정답표

▶ 혼자서도 이해할 수 있는 친절한 문제 풀이

▶ 문제 해결에 필요한 핵심 내용 또는
　틀리기 쉬운 내용을 담은 참고와 주의

정답 및 풀이
포인트 3가지

▶ 빠르게 정답을 확인하는 스피드 정답표

▶ 혼자서도 이해할 수 있는 친절한 문제 풀이

▶ 문제 해결에 필요한 핵심 내용 또는
　틀리기 쉬운 내용을 담은 참고와 주의

1. 분수의 나눗셈

10~11쪽 　준비 학습

1 (1) 25　(2) 8

2 $\frac{21}{36}$, $\frac{10}{36}$

3 $\frac{12}{27}$, $\frac{36}{81}$, $\frac{20}{45}$ 에 ○표

4 (1) $1\frac{5}{24}$　(2) $\frac{13}{36}$

5 (1) $4\frac{19}{36}$　(2) $1\frac{7}{8}$

6 (1) $\dfrac{1}{3} \times \dfrac{1}{4} = \dfrac{1}{3 \times \boxed{4}} = \dfrac{1}{\boxed{12}}$

(2) $\dfrac{1}{5} \times \dfrac{1}{7} = \dfrac{1}{5 \times \boxed{7}} = \dfrac{1}{\boxed{35}}$

7 (1) $\frac{35}{48}$　(2) $\frac{9}{35}$　　8 $16\ \mathrm{cm}^2$

13쪽 　1 단계 교과서 개념

1 (예) [그림], $\frac{1}{8}$

2 (예) [그림], $\frac{3}{8}$

3 $\frac{1}{10}$　　4 $\frac{2}{9}$　　5 $\frac{8}{15}$

6 $\frac{7}{12}$　　7 $\frac{6}{11}$

15쪽 　1 단계 교과서 개념

1 $\frac{6}{5}$　2 $\frac{7}{4}$　3 $\frac{8}{5}$　4 $\frac{7}{2}$

5 $\frac{9}{2}$　6 $\frac{13}{9}$　7 $\frac{12}{5}$　8 $\frac{15}{11}$

16~17쪽 　2 단계 개념 집중 연습

01 $\frac{7}{8}$　02 $\frac{1}{3}$　03 $\frac{1}{7}$　04 $\frac{13}{18}$

05 $\frac{8}{17}$　06 $\frac{9}{25}$　07 $\frac{11}{14}$　08 $\frac{5}{12}$

09 $\frac{7}{15}$　10 $\frac{8}{13}$　11 $\frac{16}{19}$　12 $\frac{15}{22}$

13 $\frac{9}{4}$　14 $\frac{10}{7}$　15 $\frac{13}{4}$　16 $\frac{11}{8}$

17 $\frac{14}{9}$　18 $\frac{15}{11}$　19 $\frac{12}{7}$　20 $\frac{13}{5}$

21 $\frac{16}{3}$　22 $\frac{23}{9}$　23 $\frac{22}{15}$　24 $\frac{25}{8}$

19쪽 　1 단계 교과서 개념

1 4, 2, $\frac{2}{9}$　　2 9, 3, $\frac{3}{10}$　　3 12, 12, 4, 3

4 $\frac{2}{11}$　　5 $\frac{5}{27}$　　6 $\frac{3}{40}$

21쪽 　1 단계 교과서 개념

1 $\dfrac{2}{3} \div 5 = \dfrac{2}{3} \times \dfrac{1}{\boxed{5}} = \dfrac{\boxed{2}}{15}$

2 $\dfrac{11}{12} \div 3 = \dfrac{11}{12} \times \dfrac{1}{\boxed{3}} = \dfrac{\boxed{11}}{36}$

3 $\dfrac{5}{6} \div 9 = \dfrac{5}{6} \times \dfrac{1}{\boxed{9}} = \dfrac{\boxed{5}}{54}$

4 $\dfrac{8}{9} \div 7 = \dfrac{8}{9} \times \dfrac{1}{\boxed{7}} = \dfrac{\boxed{8}}{63}$

5 $\frac{4}{35}$　　6 $\frac{3}{28}$　　7 $\frac{5}{48}$

22~23쪽　　2 단계 개념 집중 연습

01 $3, \dfrac{5}{16}$　　**02** $4, \dfrac{3}{13}$　　**03** $4, \dfrac{2}{9}$

04 $3, \dfrac{3}{11}$　　**05** $2, \dfrac{5}{13}$　　**06** $4, 12, \dfrac{3}{20}$

07 $3, 24, \dfrac{8}{27}$　　**08** $2, 14, \dfrac{7}{22}$　　**09** $5, 35, \dfrac{7}{40}$

10 $7, 28, \dfrac{4}{63}$　　**11** $3, \dfrac{4}{15}$　　**12** $2, \dfrac{5}{18}$

13 $\dfrac{1}{5}, \dfrac{9}{70}$　　**14** $\dfrac{1}{3}, \dfrac{7}{33}$　　**15** $\dfrac{1}{8}, \dfrac{7}{72}$

16 $\dfrac{1}{6}$　　**17** $\dfrac{1}{14}$　　**18** $\dfrac{2}{45}$

19 $\dfrac{1}{32}$　　**20** $\dfrac{5}{96}$

25쪽　　1 단계 교과서 개념

1 (1) $3, 3$　(2) $3, 15, \dfrac{3}{5}$　　**2** (1) $5, 3$　(2) $5, 20, \dfrac{3}{4}$

3 $\dfrac{9}{10}$　　**4** $\dfrac{8}{63}$　　**5** $\dfrac{5}{12}$　　**6** $\dfrac{17}{48}$

27쪽　　1 단계 교과서 개념

1 $2\dfrac{2}{3} \div 4 = \dfrac{8}{3} \div 4 = \dfrac{8 \div 4}{3} = \dfrac{2}{3}$

2 $3\dfrac{3}{5} \div 6 = \dfrac{18}{5} \div 6 = \dfrac{18 \div 6}{5} = \dfrac{3}{5}$

3 $2\dfrac{1}{4} \div 5 = \dfrac{\boxed{9}}{4} \times \dfrac{1}{\boxed{5}} = \dfrac{\boxed{9}}{\boxed{20}}$

4 $2\dfrac{1}{6} \div 8 = \dfrac{\boxed{13}}{6} \times \dfrac{1}{\boxed{8}} = \dfrac{\boxed{13}}{\boxed{48}}$

5 $\dfrac{3}{7}$　　**6** $\dfrac{5}{12}$　　**7** $\dfrac{5}{8}$　　**8** $\dfrac{22}{27}$

28~29쪽　　2 단계 개념 집중 연습

01 $\dfrac{5}{8}$　　**02** $\dfrac{7}{24}$　　**03** $\dfrac{9}{10}$　　**04** $\dfrac{9}{14}$

05 $\dfrac{7}{24}$　　**06** $\dfrac{9}{32}$　　**07** $\dfrac{11}{21}$　　**08** $\dfrac{4}{15}$

09 $\dfrac{4}{9}$　　**10** $\dfrac{6}{91}$　　**11** $\dfrac{5}{9}$　　**12** $\dfrac{8}{21}$

13 $\dfrac{6}{5}\left(=1\dfrac{1}{5}\right)$　　**14** $\dfrac{5}{6}$　　**15** $\dfrac{27}{40}$

16 $\dfrac{28}{27}\left(=1\dfrac{1}{27}\right)$　　**17** $\dfrac{9}{5}\left(=1\dfrac{4}{5}\right)$

18 $\dfrac{21}{32}$　　**19** $\dfrac{4}{7}$　　**20** $\dfrac{4}{9}$

30~33쪽　　3 단계 익힘책 익히기

01 예  , $\dfrac{1}{9}$

02 예 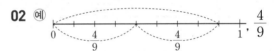 , $\dfrac{4}{9}$

03 예 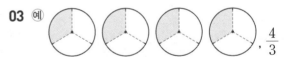 , $\dfrac{4}{3}$

04 $\dfrac{1}{8}, 5, \dfrac{5}{8}$　　　　**05** $1, 1, 1, 1, 6$

06 (1) $14, 2$　(2) $15, 15, 3$　**07**

08 (1) $\dfrac{2}{15}$　(2) $\dfrac{9}{70}$　(3) $\dfrac{11}{48}$　(4) $\dfrac{4}{15}$

09 $1\dfrac{4}{7} \div 2 = \dfrac{11}{7} \div 2 = \dfrac{11}{7} \times \dfrac{1}{2} = \dfrac{11}{14}$

10 $\dfrac{3}{5}, 7, \dfrac{3}{35}\left($또는 $\dfrac{3}{7} \div 5 = \dfrac{3}{35}\right)$

11 방법 1 예 $2\dfrac{2}{7} \div 4 = \dfrac{16}{7} \div 4 = \dfrac{16 \div 4}{7} = \dfrac{4}{7}$

　　　방법 2 예 $2\dfrac{2}{7} \div 4 = \dfrac{16}{7} \div 4 = \dfrac{16}{7} \times \dfrac{1}{4} = \dfrac{16}{28} = \dfrac{4}{7}$

12 $\dfrac{8}{15} \div 4 = \dfrac{2}{15}$; $\dfrac{2}{15}$ m　**13** $\dfrac{7}{3}\left(=2\dfrac{1}{3}\right)$ L

34~36쪽 4 단계 단원 평가

01 예 [그림] , $\frac{3}{5}$

02 $\frac{1}{6}, \frac{1}{6}, \frac{1}{6}, \frac{1}{6}, \frac{5}{48}$ 03 3, 3, 3, 3, 10

04 3, $\frac{3}{10}$ 05 72, 72, $\frac{9}{32}$

06 $\frac{5}{8}, \frac{4}{9}$ 07 ④   08 $\frac{4}{9}$

09 $\frac{13}{18}$ 10 $\frac{5}{12}$ 11 $\frac{6}{5}\left(=1\frac{1}{5}\right)$

12 $\frac{3}{5}$ 13 정아, $\frac{11}{27}$ 14 ( )(○)

15 $\frac{5}{12} \div 10 = \frac{\overset{1}{\cancel{5}}}{12} \times \frac{1}{\underset{2}{\cancel{10}}} = \frac{1}{24}$

16 $\frac{4}{9}$ m   17 $\frac{3}{4}$ kg   18 $\frac{17}{15}\left(=1\frac{2}{15}\right)$ cm

19 $\frac{7}{15}$ kg   20 $\frac{21}{5}\left(=4\frac{1}{5}\right)$ cm

37쪽 스스로 학습장

1 예 $\frac{3}{7} \div 4 = \frac{3}{7} \times \frac{1}{4} = \frac{3}{28}$

2 예 $\frac{7}{9} \div 3 = \frac{7}{9} \times \frac{1}{3} = \frac{7}{27}$

3 예 $\frac{7}{3} \div 8 = \frac{7}{3} \times \frac{1}{8} = \frac{7}{24}$

4 예 $\frac{21}{4} \div 8 = \frac{21}{4} \times \frac{1}{8} = \frac{21}{32}$

5 예 $2\frac{3}{4} \div 5 = \frac{11}{4} \div 5 = \frac{11}{4} \times \frac{1}{5} = \frac{11}{20}$

6 예 $5\frac{3}{8} \div 4 = \frac{43}{8} \times \frac{1}{4} = \frac{43}{32} = 1\frac{11}{32}$

2. 각기둥과 각뿔

40~41쪽 준비 학습

1 (1) 팔각형 (2) 육각형
2 ( )( )(○)( )
3 다, 가, 나
4 (1) 면 ㄹㄷㅅㅇ
  (2) 면 ㄱㄴㅂㅁ, 면 ㄱㄴㄷㄹ, 면 ㅁㅂㅅㅇ, 면 ㄷㅅㅇㄹ
5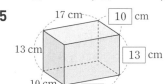
6 예
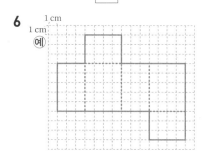

43쪽 1 단계 교과서 개념

1 ○   2 ○   3 ×
4   5   6 [삼각기둥 전개도 그림]

45쪽 1 단계 교과서 개념

1 사각기둥   2 삼각기둥
3 (1) 모서리 (2) 육각형, 육각기둥 (3) 18
4 8개   5 10개

46~47쪽 · 2 단계 개념 집중 연습

01 가, 나, 다, 마, 바 **02** 나, 다, 바

03 나, 다, 바 **04** (○)(   )(   )(○)

05 (1) 면 ㄱㄴㄷ, 면 ㄹㅁㅂ

    (2) 면 ㄱㄹㅁㄴ, 면 ㄴㅁㅂㄷ, 면 ㄱㄹㅂㄷ

06 (1) 꼭짓점 ㄱ, 꼭짓점 ㄴ, 꼭짓점 ㄷ, 꼭짓점 ㄹ, 꼭짓점 ㅁ,

    꼭짓점 ㅂ

    (2) 모서리 ㄱㄹ, 모서리 ㄴㅁ, 모서리 ㄷㅂ,

    모서리 ㄱㄴ, 모서리 ㄴㄷ, 모서리 ㄱㄷ,

    모서리 ㄹㅁ, 모서리 ㅁㅂ, 모서리 ㄹㅂ

07 칠각형, 칠각기둥 **08** 오각형, 오각기둥

09 육각형, 육각기둥 **10** 6, 9

11 8, 12 **12** 10, 15

13 16, 24

49쪽 · 1 단계 교과서 개념

1 사각기둥 **2** 삼각기둥 **3** 오각기둥

4
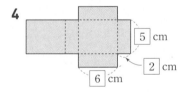

51쪽 · 1 단계 교과서 개념

1
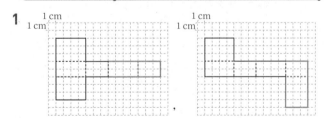

2
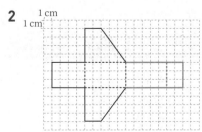

52~53쪽 · 2 단계 개념 집중 연습

01 오각기둥 **02** 삼각기둥 **03** 사각기둥 **04** 육각기둥

05
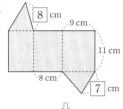

06

07
예

08
예

09
예

10

1 cm
1 cm
(예)

---

01 나, 다, 라, 마, 바　　**02** 나, 라, 마

03 나, 라, 마　　**04** ( ) (○) ( ) (○)

05 오각형, 오각뿔　　**06** 칠각형, 칠각뿔

07 육각형, 육각뿔　　**08** 팔각형, 팔각뿔

09 (1) 면 ㄴㄷㄹㅁㅂ

　　(2) 면 ㄱㄴㄷ, 면 ㄱㄷㄹ, 면 ㄱㄹㅁ, 면 ㄱㅁㅂ, 면 ㄱㄴㅂ

10 (1) 면 ㄴㄷㄹㅁ

　　(2) 꼭짓점 ㄱ, 꼭짓점 ㄴ, 꼭짓점 ㄷ, 꼭짓점 ㄹ, 꼭짓점 ㅁ

11 4, 6　　**12** 5, 8

13 6, 10　　**14** 7, 12

---

1 (○) (×) (○) (×) (○)

2
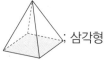
; 삼각형

3
; 삼각형

4

밑면	면 ㄴㄷㄹㅁㅂㅅ
옆면	면 ㄱㄴㄷ, 면 ㄱㄷㄹ, 면 ㄱㄹㅁ, 면 ㄱㅁㅂ, 면 ㄱㅅㅂ, 면 ㄱㄴㅅ

---

01 (1) 다, 마, 바　(2) 가, 나, 라, 사, 아　(3) 가, 라, 사, 아

　　(4) 각기둥

02 (위부터) 4, 8, 6, 12 ; 5, 10, 7, 15

03 (1) 가, 나, 다, 라, 바　(2) 나, 다　(3) 나, 다

04 (위부터) 3, 4, 4, 6 ; 5, 6, 6, 10

05

06 (1) 삼각기둥　(2) 선분 ㅅㅂ

　　(3) 면 ㄱㄴㄷㅊ, 면 ㅊㄷㅁㅇ, 면 ㅇㅁㅂㅅ

07
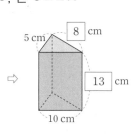
8 cm　10 cm　13 cm　8 cm　5 cm
5 cm　8 cm　13 cm　10 cm

08

1 cm
1 cm
(예)

---

1 삼각형, 삼각뿔　　**2** 오각형, 오각뿔

3
　　　　ㄱ
ㄴ　ㅂ　ㅁ
　ㅅ
ㄷ　　ㄹ

4 10개

5 6개

09

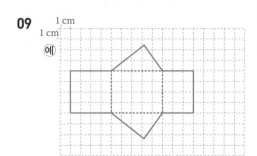

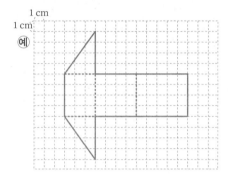

64~66쪽   **4** 단계 **단원 평가**

01 다, 라   **02** 나, 바

03 육각뿔   **04** 육각형, 육각기둥

05 (위부터) 각뿔의 꼭짓점, 모서리, 옆면, 높이, 밑면

06 면 ㄱㄴㄷㄹㅁ, 면 ㅂㅅㅇㅈㅊ

07 5개   **08** ㉢

09 면 ㄴㄷㄹㅁ   **10** 4개

11 면 ㄱㄴㄷ, 면 ㄱㄷㄹ, 면 ㄱㄹㅁ, 면 ㄱㄴㅁ

12 8 cm   **13** 삼각기둥

14

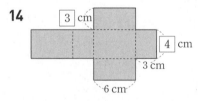

15 ④   **16** 2, 2, 3

17 ㉲ 밑면이 2개이고 옆면의 모양이 사다리꼴이므로 각뿔이 아닙니다.

18

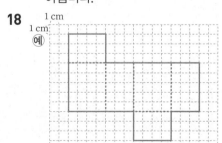

19 사각기둥   **20** 6개

67쪽   스스로 **학습장**

1 (◯) ( )   **2** (◯) ( )

3 ( ) (◯)   **4** ( ) (◯)

5 (◯) ( )   **6** ( ) (◯)

7 (◯) ( )   **8** ( ) (◯)

3. 소수의 나눗셈

70~71쪽   준비 학습

1 (1)
$$\begin{array}{r} 4.9 \\ \times\ 1.7 \\ \hline 3\ 4\ 3 \\ 4\ 9\ \ \\ \hline 8.3\ 3 \end{array}$$
(2)
$$\begin{array}{r} 6.4\ 3 \\ \times\ \ 1.7 \\ \hline 4\ 5\ 0\ 1 \\ 6\ 4\ 3\ \ \\ \hline 1\ 0.9\ 3\ 1 \end{array}$$

2 (1) 84.32, 843.2, 8432   (2) 37.9, 3.79, 0.379

3 $1\dfrac{3}{5} \div 6 = \dfrac{8}{5} \div 6 = \dfrac{\overset{4}{\cancel{8}}}{5} \times \dfrac{1}{\cancel{6}} = \dfrac{4}{15}$

4 (1) $\dfrac{4}{5}$ (2) $\dfrac{6}{13}$

5 (1) $\dfrac{1}{5}$ (2) $\dfrac{9}{52}$

6 8.4×3=25.2; 25.2 cm²

7 43.8×1.25=54.75; 54.75 kg

73쪽   **1** 단계 교과서 **개념**

1

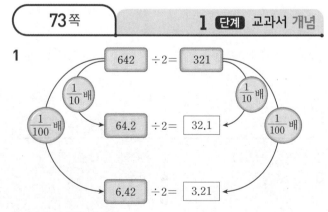

2 112, 11.2, 1.12

3 (왼쪽부터) 213, 21.3, 2.13, $\dfrac{1}{10}$, $\dfrac{1}{100}$

75쪽   1 단계 교과서 개념

1 28, 2.8   **2** 324, 3.24   **3** 4.46
4 5.4   **5** 4.47   **6** 6.47
7 3.31   **8** 5.63

76~77쪽   2 단계 개념 집중 연습

01 231, 23.1, 2.31   **02** 312, 31.2, 3.12
03 111, 11.1, 1.11   **04** 221, 22.1, 2.21
05 32, 3.2   **06** 43, 4.3   **07** 36, 3.6
08 26.57   **09** 8.16   **10** 7.53
11 5.89   **12** 2.58   **13** 3.75
14 4.92   **15** 7.89

79쪽   1 단계 교과서 개념

1 100, 100, $\frac{13}{100}$, 0.13
2 36, 0.36   **3** 0.82   **4** 0.61
5 0.25   **6** 0.32   **7** 0.29

81쪽   1 단계 교과서 개념

1 820, 820, 164, 1.64
2 1.45   **3** 1.35   **4** 1.38
5 0.65   **6** 1.65   **7** 3.35

82~83쪽   2 단계 개념 집중 연습

01 729, 729, 81, 0.81   **02** 441, 441, 63, 0.63
03 348, 348, 87, 0.87   **04** 0.14
05 0.74   **06** 0.92
07 0.87   **08** 940, 940, 235, 2.35
09 450, 450, 225, 2.25   **10** 830, 830, 166, 1.66
11 1.56   **12** 2.15
13 1.25   **14** 2.65

85쪽   1 단계 교과서 개념

1 610, 610, 305, 3.05
2 108, 1.08   **3** 1.05   **4** 1.04
5 1.09   **6** 1.03   **7** 2.03

87쪽   1 단계 교과서 개념

1 5, 18, 1.8   **2** 325, 3.25   **3** 4.4
4 0.75   **5** 2.25   **6** 1.4
7 0.375

89쪽   1 단계 교과서 개념

1 예 어림 $39 \div 4 \Rightarrow$ 약 10 ; 몫 $9 \fbox{} 8 \fbox{} 5$
2 예 어림 $22 \div 5 \Rightarrow$ 약 4 ; 몫 $4 \fbox{} 3 \fbox{} 2$
3 예 어림 $81 \div 7 \Rightarrow$ 약 12 ; 몫 $1 \fbox{} 1 \fbox{} 6$
4 예 어림 $61 \div 3 \Rightarrow$ 약 20 ; 몫 $2 \fbox{} 0 \fbox{} 4$
5 $93.8 \div 7 = 13.4$에 ◯표

90~91쪽   2 단계 개념 집중 연습

01 1.06   **02** 1.05   **03** 3.07
04 3.05   **05** 1.02   **06** 1.03
07 1.07   **08** 1.02

09 $6 \div 5 = \frac{6}{5} = \frac{12}{10} = 1.2$

10 $3 \div 2 = \frac{3}{2} = \frac{15}{10} = 1.5$

11 $9 \div 2 = \frac{9}{2} = \frac{45}{10} = 4.5$

12 $15 \div 2 = \frac{15}{2} = \frac{75}{10} = 7.5$

13 $4 \div 25 = \frac{4}{25} = \frac{16}{100} = 0.16$

14 $33 \div 5$ **15** $6 \div 6$ **16** $20 \div 4$
17 $16 \div 8$ **18** $35 \div 7$

92~95쪽　　3 단계 익힘책 익히기

01 233, 233, 2.33

02 (1) 44.3, 4.43　(2) 22.3, 2.23

03 (1) $1.59 \div 6 = \dfrac{1590}{1000} \div 6 = \dfrac{1590 \div 6}{1000}$

　　　　　　$= \dfrac{265}{1000} = 0.265$

　　(2) $2.76 \div 8 = \dfrac{2760}{1000} \div 8 = \dfrac{2760 \div 8}{1000}$

　　　　　　$= \dfrac{345}{1000} = 0.345$

04 (1) 0.91　(2) 0.28

05 12.35, 2.47

06 (1) ＝　(2) ＜

07 (1) 2.04　(2) 12.25

08
```
      2. 0 8
  4 ) 8. 3 2
      8
      ─────
        3 2
        3 2
      ─────
          0
```

09 0.84, 0.7

10

| 3.04÷4 | (3.27÷3) | 3.92÷4 | (3.36÷3) |

11 0.175 kg

12 2.7 L

13 9.36÷8＝1.17; 1.17 m

96~98쪽　　4 단계 단원 평가

01 432, 432, 72, 7.2　　**02** 676, 676, 52, 0.52

03 (위부터) 2, 3, 17, 16, 12

04 2.08　　　　　　　**05** 1.85

06 $8.1 \div 6 = \dfrac{810}{100} \div 6 = \dfrac{810 \div 6}{100} = \dfrac{135}{100} = 1.35$

07 1.03　　**08** 1.07　　**09** 1.86

10 1.85　　**11** 4.05　　**12** ③

13 예 어림 30÷9 ⇨ 약 3 ; 몫 3.3□2

14
```
        0. 7 4
  5 ) 3. 7 0
      3 5
      ─────
        2 0
        2 0
      ─────
          0
```

15

| 17.4÷4 | 15.72÷8 | (19.6÷28) |

16 ＞　　**17** 0.75, 2.25　　**18** 15.35

19 1.74　　**20** 1.26÷9＝0.14; 0.14

99쪽　　스스로 학습장

| 쪽지시험 | 6 학년 1 반 10 번 이름 나천재 |

❈ [1~9] 계산해 보세요.

```
① 1.4 6        ②      9 2     ③ 2.7 3
 6)8.7 6        7)6.4 4        3)8.1 9
   6           0.9 2            6
   ─────       7)6.4 4         ─────
   2 7           6 3             2 1
   2 4           ─────           2 1
   ─────         1 4            ─────
     3 6         1 4               9
     3 6         ─────             9
   ─────           0            ─────
       0                           0
```

```
④     1.8        ⑤     5.8       ⑥ 0.3 6
  8)1.4 4          3)1.7 4        6)2.1 6
  0.1 8            0.5 8            1 8
  8)1.4 4          3)1.7 4        ─────
    8                1 5            3 6
    ─────            ─────          3 6
    6 4              2 4          ─────
    6 4              2 4              0
    ─────            ─────
      0                0
```

```
⑦ 1.9 1        ⑧ 0.8 5        ⑨ 1.0 5
  3)5.7 3        2)1.7          8)8.4
    3              1 6            8
    ─────         ─────         ─────
    2 7             1 0           4 0
    2 7             1 0           4 0
    ─────         ─────         ─────
      3              0             0
      3
    ─────
      0
```

4. 비와 비율

102~103쪽 준비 학습

1 (1) 12, 21, 24 (2) 10, 5

2 5와 9에 ×표

3 (1) $\dfrac{24}{32} = \dfrac{24 \div \boxed{8}}{32 \div \boxed{8}} = \dfrac{\boxed{3}}{\boxed{4}}$

(2) $\dfrac{36}{48} = \dfrac{36 \div \boxed{12}}{48 \div \boxed{12}} = \dfrac{\boxed{3}}{\boxed{4}}$

4 (1) $\dfrac{70}{80}, \dfrac{72}{80}$ (2) $\dfrac{35}{40}, \dfrac{36}{40}$

5 10, 11, 12

6 16살

7 ○=□+5 (또는 □=○−5)

105쪽 **1** 단계 교과서 개념

1 (1) 6, 8, 10

(2) 4, 8, 12, 16, 20 (3) 3

2 15, 20; 5

107쪽 **1** 단계 교과서 개념

1 3, 4   **2** 2, 6

3 6, 7, 7, 6   **4** 3, 8, 3, 8, 8, 3

5 (1) 4, 6, 4, 6 (2) 4, 6, 4, 6, 6, 4

108~109쪽 **2** 단계 개념 집중 연습

01 (위부터) 24, 30; 12, 15

02 6, 9, 6, 9   **03** 2, 2, 2

04 (1) 4, 9 (2) 9, 4   **05** (1) 11, 5 (2) 5, 11

06 (1) 6, 7 (2) 6, 7   **07** 3, 9

08 11, 16   **09** 8, 5

10

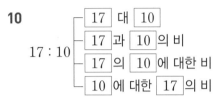

17 : 10
- 17 대 10
- 17 과 10 의 비
- 17 의 10 에 대한 비
- 10 에 대한 17 의 비

11

24 : 13
- 24 대 13
- 24 와 13 의 비
- 24 의 13 에 대한 비
- 13 에 대한 24 의 비

12 7 : 10   **13** 5 : 12

14 7 : 16   **15** 5 : 8

16 9 : 10

111쪽 **1** 단계 교과서 개념

1

비율	가	나
분수	$\dfrac{35}{20}\left(=\dfrac{7}{4}\right)$	$\dfrac{21}{12}\left(=\dfrac{7}{4}\right)$
소수	1.75	1.75

2 $\dfrac{6}{8}\left(=\dfrac{3}{4}\right)$, 0.75   **3** $\dfrac{5}{4}$, 1.25

113쪽 **1** 단계 교과서 개념

1 $\dfrac{\boxed{92300}}{\boxed{710}} = \boxed{130}$ **2** $\dfrac{\boxed{799500}}{\boxed{650}} = \boxed{1230}$

3 0.04, 0.06   **4** 승하

114~115쪽 2 단계 개념 집중 연습

01 5, 9, $\frac{5}{9}$ **02** 14, 15, $\frac{14}{15}$

03 11, 20, $\frac{11}{20}$ **04** 13, 17, $\frac{13}{17}$

05 $\frac{21}{25}$, 0.84 **06** $\frac{15}{24}\left(=\frac{5}{8}\right)$, 0.625

07 $\frac{30}{12}\left(=\frac{5}{2}\right)$, 2.5 **08** $\frac{18}{24}\left(=\frac{3}{4}\right)$, 0.75

09 $\frac{440}{5}=\boxed{88}$ **10** $\frac{400}{5}=\boxed{80}$

11 $\frac{528}{3}=\boxed{176}$ **12** $\frac{352}{4}=\boxed{88}$

13 $\frac{81000}{540}=\boxed{150}$ **14** $\frac{210000}{600}=\boxed{350}$

15 $\frac{80}{250}=\boxed{0.32}$ **16** $\frac{25}{100}=\boxed{0.25}$

117쪽 1 단계 교과서 개념

1 (1) 40 (2) 4, 16
2 75 % **3** 70 % **4** 23 %
5 40 % **6** 60, 70 **7** 바지

119쪽 1 단계 교과서 개념

1 51 % **2** 48 % **3** 1 %
4 20, 20 **5** 50, 50 **6** 양말

120~121쪽 2 단계 개념 집중 연습

01 24 % **02** 37 % **03** 25 %
04 80 % **05** 16 % **06** 36 %
07 50 % **08** 20 % **09** 40 %
10 50 % **11** 40 % **12** 15 %
13 10 % **14** 28 % **15** 42 %
16 55 % **17** 3 % **18** 10 %
19 15 %

122~125쪽 3 단계 익힘책 익히기

01

뺄셈으로 비교하기	나눗셈으로 비교하기
예 10−5=5이므로 호두과자 수가 모둠원 수보다 5 더 많습니다.	예 10÷5=2이므로 호두과자 수는 모둠원 수의 2배입니다.

02 30, 40, 50 **03** (1) 3, 4 (2) 3, 4 (3) 3, 4
04 예

05 (위부터) 5, 8, $\frac{5}{8}$; 17, 10, $\frac{17}{10}$; 11, 16, $\frac{11}{16}$
06 **07** (1) 12 (2) 36
08 (위부터) 64; $\frac{36}{100}\left(=\frac{9}{25}\right)$, 36; 0.96, 96
09 50, 52, 65; 3반 **10** 30 %
11 $\frac{190}{2}(=95)$, $\frac{270}{3}(=90)$, 빨간 버스
12 $\frac{8500}{5}(=1700)$, $\frac{6900}{3}(=2300)$; 달빛 마을

126~128쪽 4 단계 단원 평가

01 4 **02** 5, 3 **03** 6, 9
04 12, 15 **05** ② **06** 7, 8
07 **08** 52 %
09 (위부터) $\frac{7}{25}$, $\frac{9}{5}$; 0.28, 1.8; 28 %, 180 %
10 13 : 20
11 틀립니다에 ○표; 예 9 : 7은 기준이 7이지만 7 : 9는 기준이 9이기 때문입니다.
12 0.6 **13** 80 %, 85 % **14** $\frac{360}{4}(=90)$
15 360 : 800 **16** 45 % **17** 3 %
18 진희네 마을 **19** 20 % **20** 명인

129쪽 스스로 학습장

1 ○ **2** × **3** ×
4 ○ **5** ○ **6** ○
7 × **8** × **9** ○

5. 여러 가지 그래프

132~133쪽 준비 학습

1 36개　　　　　　　　**2** 13칸

3
채소의 종류별 개수

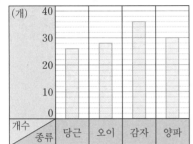

4 오후 3시　　　　　　**5** 오전 9시와 낮 12시 사이

6
동생의 키

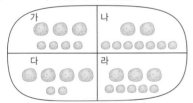

135쪽 1 단계 교과서 개념

1 1000상자, 100상자

2
지역별 감자 생산량

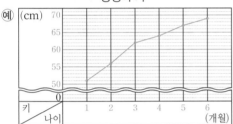

3 다　　　　　　　　　**4** 나

137쪽 1 단계 교과서 개념

1 200명　　　　　　　**2** 45, 30, 15, 10, 100

3 ⑳ 수영을 좋아하는 학생이 가장 적습니다.

4 ⑳ 전체에 대한 각 부분의 비율을 한눈에 알아볼 수 있습니다.

139쪽 1 단계 교과서 개념

1 45, 35, 10, 10, 100;

좋아하는 음악별 학생 수

2 40, 30, 15, 10, 5, 100;

취미 생활별 학생 수

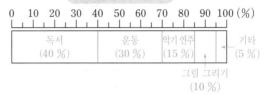

140~141쪽 2 단계 개념 집중 연습

01
지역별 버섯 생산량

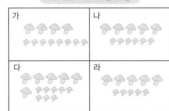

02 다　　　**03** 200 kg　　　**04** 띠그래프

05 25명　　　**06** 40 %　　　　**07** 20 %

08 40, 20, 30, 10, 100

09
장래 희망별 학생 수

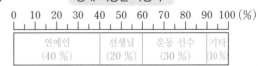

10
혈액형별 학생 수

11 (위부터) 50, 40, 20, 10, 200; 40, 25, 20, 10, 5, 100

12
가고 싶어 하는 나라별 학생 수

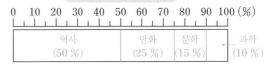

13 50, 25, 15, 10, 100;

빌린 책의 종류별 권수

143쪽 　1 단계 교과서 개념

1 원그래프　　　　　**2** 40명
3 30 %　　　　　　**4** 주스
5 예 전체에 대한 각 항목끼리의 비율을 쉽게 비교할 수 있습니다.

145쪽 　1 단계 교과서 개념

1 45, 25, 15, 15, 100;
　(1) 45　(2) 100, 25　(3) 100, 15　(4) 100, 15
2 방학 때 가고 싶은 장소별 학생 수

146~147쪽 　2 단계 개념 집중 연습

01 영화 감상　　　　**02** 컴퓨터 게임
03 30 %　　　　　　**04** 3배
05 16, 24, 20, 28, 12, 100;
　(1) 16　(2) 24　(3) 5, 20　(4) 7, 28　(5) 3, 12
06 좋아하는 문화재별 학생 수

07 40, 25, 20, 15, 100;　**08** 35, 30, 20, 15, 100;
　허브 종류별 화분 수　　　좋아하는 채소별 학생 수

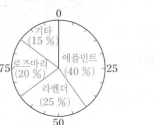 

09 30, 25, 35, 10, 100;　**10** 40, 10, 30, 20, 100;

좋아하는 간식별 학생 수　　태어난 계절별 학생 수

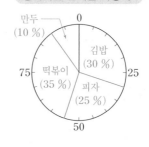 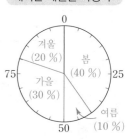

149쪽 　1 단계 교과서 개념

1 25 %　　**2** 7배　　**3** 예 체육, 음악
4 봄, 겨울　**5** 3배

151쪽 　1 단계 교과서 개념

1 ① 원그래프, ② 띠그래프, ③ 막대그래프
2 예 각 항목끼리의 비율을 쉽게 비교할 수 있습니다.
3 예 빨간색을 좋아하는 학생이 가장 많습니다.

152~153쪽 　2 단계 개념 집중 연습

01 58 %　　　　**02** 최고야　　　　**03** 6배
04 예 네가 있어서 행복해, 멋져 등　**05** 5 %
06 40 %　　　　**07** 겨울　　　　　**08** 2배
09 2.25배　　　**10** 4명
11 예 휴대 전화를 받고 싶은 학생 수가 가장 많습니다.
12 막대그래프, 띠그래프
13 예 여름의 강수량이 가장 많습니다.
　예 여름 강수량은 겨울 강수량의 약 4배입니다.

154~157쪽 　3 단계 익힘책 익히기

01

병류 배출량

동	배출량
A	🍼🍼🍼
B	🍼🍼🍼
C	🍼🍼🍼🍼🍼
D	🍼🍼🍼🍼🍼🍼
E	🍼🍼🍼🍼

02 30

03

학년별 학생 수

04 30, 50, 10, 10, 100　　**05** 100 %

06

친해지고 싶은 친구 유형별 학생 수

07 놀이공원　　　　**08** 4배

09 700, 30

10

재활용품별 배출량

11

재활용품별 배출량

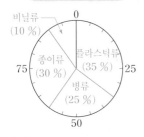

12 2배　　　　**13** 30명

14 A형　　　　**15** 2배

16 ㉡ AB형이 가장 적습니다.

158~160쪽 　4 단계 단원 평가

01 30, 20, 40, 10, 100

02

좋아하는 반찬별 학생 수

03 띠그래프　　**04** 15 %　　**05** 포도

06 귤　　　　　**07** 60명

08 (위부터) 18, 12, 21, 9, 60; 30, 20, 35, 15, 100

09

가축별 수

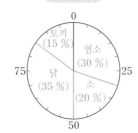

10

가축별 수

11 지리산　　**12** 한라산　　**13** 40 %

14 ㉡ 백분율이 커지면 학생 수가 많아집니다.

15

우유의 종류별 학생 수

16 8 %　　　　　　**17** 28 kg

18 2배　　　　　　**19** 38.5 %

20

안전한 학교 생활 수칙

수칙	학생 수
위험한 곳에 가지 않기	😊😊😊😊😊😊
경기 규칙 잘 지키기	😊😊😊😊😊
놀이 기구의 바른 사용법 익히기	😊😊😊😊😊
친구와 장난치지 않기	😊😊😊😊😊
기타	😊😊😊

161쪽 · 스스로 학습장

1 20, 30, 25, 15, 10, 100;

좋아하는 급식 메뉴별 학생 수

| 돈가스 (20 %) | 닭강정 (30 %) | 불고기 (25 %) | 소시지 (15 %) | 어묵 (10 %) |

좋아하는 급식 메뉴별 학생 수

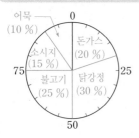

2 20, 10, 40, 10, 20, 100;

용돈의 지출 항목별 금액

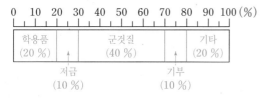

용돈의 지출 항목별 금액

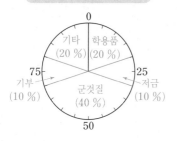

6. 직육면체의 부피와 겉넓이

164~165쪽 · 준비 학습

1 (1) 24 cm²   (2) 27 cm²
2 (1) 84 cm²   (2) 99 cm²
3 16   **4** 7.2
5 146 cm²   **6** 112 cm
7 사각기둥, 6, 12, 8

167쪽 · 1단계 교과서 개념

1 30개   **2** 36개
3 나   **4** 나

169쪽 · 1단계 교과서 개념

1 3, 60   **2** 4, 3, 36
3 45 cm³   **4** 56 cm³
5 36 cm³   **6** 75 cm³

171쪽 · 1단계 교과서 개념

1 한 모서리의 길이, 한 모서리의 길이
2 3, 3, 3, 27   **3** 216 cm³
4 125 cm³   **5** 512 cm³
6 729 cm³

172~173쪽 · 2단계 개념 집중 연습

01 나   **02** 다, 가, 나   **03** 36, 36
04 18, 18   **05** 240 cm³   **06** 60 cm³
07 168 cm³   **08** 168 cm³   **09** 378 cm³
10 280 cm³   **11** 8000 cm³   **12** 1000 cm³
13 300 cm³   **14** 315 cm³   **15** 343 cm³
16 540 cm³

175쪽 | 1 단계 교과서 개념

1 (1) 1, 1, 1 (2) 100, 100, 1000000 (3) 1000000
2 3000000 **3** 7000000
4 9 **5** 120 m³ **6** 216 m³

177쪽 | 1 단계 교과서 개념

1 (1) 18, 30, 15, 18, 30, 15, 126 (2) 5, 2, 126
2 166 cm² **3** 180 cm²
4 288 cm² **5** 130 cm²

179쪽 | 1 단계 교과서 개념

1 6, 54 **2** 150 cm²
3 96 cm² **4** 216 cm²
5 486 cm²

180~181쪽 | 2 단계 개념 집중 연습

01 9000000 **02** 1500000
03 7 **04** 2.4
05 3.6 **06** 5.8
07 (1) $\boxed{8} + \boxed{12} + \boxed{6} + \boxed{8} + \boxed{12} + \boxed{6} = \boxed{52}$ (cm²)
 (2) 8, 52
08 (1) $\boxed{40} + \boxed{56} + \boxed{35} + \boxed{40} + \boxed{56} + \boxed{35}$
 $= \boxed{262}$ (cm²)
 (2) 40, 56, 35, 262
09 12, 12, 6, 864 **10** 7, 7, 6, 294
11 8, 8, 6, 384 **12** 102 cm²
13 136 cm² **14** 72 cm²
15 94 cm²

182~183쪽 | 3 단계 익힘책 익히기

01 1 cm³, 1 세제곱센티미터 **02** 6 cm³
03 (1) 가: 18개, 나: 27개, 다: 16개 (2) 나
04 3×7×10=210; 210 cm³
05 5 cm **06** 9
07 2 cm
08 (1) 가로: 1.5 m, 세로: 1.2 m, 높이: 3 m (2) 5.4 m³
09 (1) 5000000 (2) 8 (3) 1200000 (4) 5.4
10 14, 7, 2, 5, 118
11 7×7×6=294; 294 cm²
12 10, 10 **13** 희준, 18

186~188쪽 | 4 단계 단원 평가

01 3, 30 **02** 27 cm³
03 5000000 **04** 4.2
05 ② **06** 60 cm³
07 512 cm³ **08** 276 cm²
09 486 cm² **10** 12, 12000000
11 210 cm³ **12** 1048 cm²
13 15 m³ **14** ㉡, ㉢, ㉠
15 6, 6 **16** 나
17 3 **18** 1000 cm³
19 160 cm² **20** 3750개

189쪽 | 스스로 학습장

1 (1) 19000 cm² (2) 150000 cm³ (3) 0.15 m³
2 (1) 9600 cm² (2) 64000 cm³ (3) 0.064 m³
3 (1) 30400 cm² (2) 320000 cm³ (3) 0.32 m³
4 (1) 11800 cm² (2) 70000 cm³ (3) 0.07 m³

1. 분수의 나눗셈

학부모 지도 가이드

이 단원에서는 이미 학습한 자연수의 나눗셈, 분수의 곱셈을 바탕으로 분수의 나눗셈을 학습하게 됩니다. 일상생활에서 분수의 나눗셈이 필요한 경우가 많지 않지만 이후에 학습하는 소수의 나눗셈, 중등 과정의 유리수의 계산 등을 학습하는 데 기초가 되므로 분수의 나눗셈은 중요합니다. 이 단원에서 나눗셈식을 곱셈식으로 바꾸어 표현하는 것을 처음으로 배우기 때문에 (분수)÷(자연수)를 (분수)$\times\dfrac{1}{(자연수)}$ 로 나타내는 것을 잘 알아두도록 지도해 주세요.

10~11쪽　　　　　　　　　준비 학습

1 (1) 25　(2) 8　　　　**2** $\dfrac{21}{36}$, $\dfrac{10}{36}$

3 $\dfrac{12}{27}$, $\dfrac{36}{81}$, $\dfrac{20}{45}$에 ○표　　**4** (1) $1\dfrac{5}{24}$　(2) $\dfrac{13}{36}$

5 (1) $4\dfrac{19}{36}$　(2) $1\dfrac{7}{8}$

6 (1) $\dfrac{1}{3}\times\dfrac{1}{4}=\dfrac{\boxed{1}}{3\times\boxed{4}}=\dfrac{\boxed{1}}{\boxed{12}}$

　　(2) $\dfrac{1}{5}\times\dfrac{1}{7}=\dfrac{\boxed{1}}{5\times\boxed{7}}=\dfrac{\boxed{1}}{\boxed{35}}$

7 (1) $\dfrac{35}{48}$　(2) $\dfrac{9}{35}$　　　　**8** 16 cm²

---

2 $\left(\dfrac{7}{12},\ \dfrac{5}{18}\right)\Rightarrow\left(\dfrac{7\times3}{12\times3},\ \dfrac{5\times2}{18\times2}\right)\Rightarrow\left(\dfrac{21}{36},\ \dfrac{10}{36}\right)$

3 $\dfrac{4}{9}=\dfrac{4\times3}{9\times3}=\dfrac{4\times5}{9\times5}=\dfrac{4\times9}{9\times9}$입니다.

　　$\Rightarrow\dfrac{4}{9}=\dfrac{12}{27}=\dfrac{20}{45}=\dfrac{36}{81}$

4 (1) $\dfrac{5}{8}+\dfrac{7}{12}=\dfrac{15}{24}+\dfrac{14}{24}=\dfrac{29}{24}=1\dfrac{5}{24}$

　　(2) $\dfrac{7}{12}-\dfrac{2}{9}=\dfrac{21}{36}-\dfrac{8}{36}=\dfrac{13}{36}$

5 (1) $2\dfrac{7}{9}+1\dfrac{3}{4}=2\dfrac{28}{36}+1\dfrac{27}{36}=3+1\dfrac{19}{36}=4\dfrac{19}{36}$

　　(2) $3\dfrac{1}{4}-1\dfrac{3}{8}=3\dfrac{2}{8}-1\dfrac{3}{8}=2\dfrac{10}{8}-1\dfrac{3}{8}=1+\dfrac{7}{8}=1\dfrac{7}{8}$

---

8 (직사각형의 넓이)$=5\dfrac{3}{5}\times2\dfrac{6}{7}=\dfrac{\overset{4}{\cancel{28}}}{\underset{1}{\cancel{5}}}\times\dfrac{\overset{4}{\cancel{20}}}{\underset{1}{\cancel{7}}}=16\ (\text{cm}^2)$

13쪽　　　　1단계 교과서 개념

1 (예)
0 ┠─────────────┨ 1 , $\dfrac{1}{8}$

2 (예)
0 ┠─────────────┨ 1 , $\dfrac{3}{8}$

3 $\dfrac{1}{10}$　**4** $\dfrac{2}{9}$　**5** $\dfrac{8}{15}$　**6** $\dfrac{7}{12}$　**7** $\dfrac{6}{11}$

---

2 $3\div8$은 $\dfrac{1}{8}$이 3개이므로 $\dfrac{3}{8}$입니다.

15쪽　　　　1단계 교과서 개념

1 $\dfrac{6}{5}$　**2** $\dfrac{7}{4}$　**3** $\dfrac{8}{5}$　**4** $\dfrac{7}{2}$

5 $\dfrac{9}{2}$　**6** $\dfrac{13}{9}$　**7** $\dfrac{12}{5}$　**8** $\dfrac{15}{11}$

---

1 $6\div5$의 몫은 $\dfrac{1}{5}$이 6개이므로 $\dfrac{6}{5}$입니다.

2 $7\div4$의 몫은 $\dfrac{1}{4}$이 7개이므로 $\dfrac{7}{4}$입니다.

16~17쪽　　　　2단계 개념 집중 연습

01 $\dfrac{7}{8}$　**02** $\dfrac{1}{3}$　**03** $\dfrac{1}{7}$　**04** $\dfrac{13}{18}$

05 $\dfrac{8}{17}$　**06** $\dfrac{9}{25}$　**07** $\dfrac{11}{14}$　**08** $\dfrac{5}{12}$

09 $\dfrac{7}{15}$　**10** $\dfrac{8}{13}$　**11** $\dfrac{16}{19}$　**12** $\dfrac{15}{22}$

13 $\dfrac{9}{4}$　**14** $\dfrac{10}{7}$　**15** $\dfrac{13}{4}$　**16** $\dfrac{11}{8}$

17 $\dfrac{14}{9}$　**18** $\dfrac{15}{11}$　**19** $\dfrac{12}{7}$　**20** $\dfrac{13}{5}$

21 $\dfrac{16}{3}$　**22** $\dfrac{23}{9}$　**23** $\dfrac{22}{15}$　**24** $\dfrac{25}{8}$

01~24 (자연수)÷(자연수)의 몫은 나누어지는 수는 분자, 나누는 수를 분모로 하는 분수로 나타냅니다.

> **참고**
> (자연수)÷(자연수)의 몫을 분수로 나타낼 때에
> ▲÷● = $\frac{▲}{●}$ 형태로 일반화합니다.

19쪽　**1**단계 **교과서 개념**

1 4, 2, $\frac{2}{9}$　**2** 9, 3, $\frac{3}{10}$　**3** 12, 12, 4, 3

4 $\frac{2}{11}$　**5** $\frac{5}{27}$　**6** $\frac{3}{40}$

1~3 분자가 자연수의 배수이므로 분자를 자연수로 나눕니다.

4 $\frac{6}{11}÷3=\frac{6÷3}{11}=\frac{2}{11}$

5 5는 3의 배수가 아니므로 $\frac{5}{9}$와 크기가 같은 분수 중에서 분자가 자연수의 배수인 수로 바꾸어 계산합니다.

$\frac{5}{9}÷3=\frac{15}{27}÷3=\frac{15÷3}{27}=\frac{5}{27}$

6 $\frac{3}{8}÷5=\frac{15}{40}÷5=\frac{15÷5}{40}=\frac{3}{40}$

21쪽　**1**단계 **교과서 개념**

1 $\frac{2}{3}÷5=\frac{2}{3}×\boxed{\frac{1}{5}}=\boxed{\frac{2}{15}}$

2 $\frac{11}{12}÷3=\frac{11}{12}×\boxed{\frac{1}{3}}=\boxed{\frac{11}{36}}$

3 $\frac{5}{6}÷9=\frac{5}{6}×\boxed{\frac{1}{9}}=\boxed{\frac{5}{54}}$

4 $\frac{8}{9}÷7=\frac{8}{9}×\boxed{\frac{1}{7}}=\boxed{\frac{8}{63}}$

5 $\frac{4}{35}$　**6** $\frac{3}{28}$　**7** $\frac{5}{48}$

5 $\frac{4}{7}÷5=\frac{4}{7}×\frac{1}{5}=\frac{4}{35}$

> **참고**
> $\frac{4}{7}÷5$는 $\frac{4}{7}$의 $\frac{1}{5}$이므로 $\frac{4}{7}×\frac{1}{5}$을 계산합니다.

6 $\frac{3}{4}÷7=\frac{3}{4}×\frac{1}{7}=\frac{3}{28}$

7 $\frac{5}{8}÷6=\frac{5}{8}×\frac{1}{6}=\frac{5}{48}$

22~23쪽　**2**단계 **개념 집중 연습**

01 3, $\frac{5}{16}$　**02** 4, $\frac{3}{13}$　**03** 4, $\frac{2}{9}$

04 3, $\frac{3}{11}$　**05** 2, $\frac{5}{13}$　**06** 4, 12, $\frac{3}{20}$

07 3, 24, $\frac{8}{27}$　**08** 2, 14, $\frac{7}{22}$　**09** 5, 35, $\frac{7}{40}$

10 7, 28, $\frac{4}{63}$　**11** 3, $\frac{4}{15}$　**12** 2, $\frac{5}{18}$

13 $\frac{1}{5}$, $\frac{9}{70}$　**14** $\frac{1}{3}$, $\frac{7}{33}$　**15** $\frac{1}{8}$, $\frac{7}{72}$

16 $\frac{1}{6}$　**17** $\frac{1}{14}$　**18** $\frac{2}{45}$

19 $\frac{1}{32}$　**20** $\frac{5}{96}$

1 15가 3의 배수이므로 분자를 자연수로 나눕니다.

6 3은 4의 배수가 아니므로 $\frac{3}{5}$과 크기가 같은 분수 중에서 분자가 4로 나누어떨어지는 수로 바꾸어 계산합니다.

11 ÷3을 ×$\frac{1}{3}$로 바꾸어 계산합니다.

> **참고**
> (분수)÷(자연수)를 분수의 곱셈으로 나타내어 계산하는 방법
> ① 분수의 분모에 자연수를 곱하여 계산합니다.
> ② 자연수를 $\frac{1}{(자연수)}$로 바꾼 다음 곱하여 계산합니다.

16 $\dfrac{2}{3} \div 4 = \dfrac{2}{3} \times \dfrac{1}{4} = \dfrac{2}{12} = \dfrac{1}{6}$

17 $\dfrac{5}{7} \div 10 = \dfrac{5}{7} \times \dfrac{1}{10} = \dfrac{5}{70} = \dfrac{1}{14}$

18 $\dfrac{14}{15} \div 21 = \dfrac{14}{15} \times \dfrac{1}{21} = \dfrac{14}{315} = \dfrac{2}{45}$

19 $\dfrac{3}{8} \div 12 = \dfrac{3}{8} \times \dfrac{1}{12} = \dfrac{3}{96} = \dfrac{1}{32}$

20 $\dfrac{5}{12} \div 8 = \dfrac{5}{12} \times \dfrac{1}{8} = \dfrac{5}{96}$

25쪽 1단계 교과서 개념

1 (1) 3, 3　(2) 3, 15, $\dfrac{3}{5}$　**2** (1) 5, 3　(2) 5, 20, $\dfrac{3}{4}$

3 $\dfrac{9}{10}$　　**4** $\dfrac{8}{63}$　　**5** $\dfrac{5}{12}$　　**6** $\dfrac{17}{48}$

---

3 $\dfrac{9}{5} \div 2 = \dfrac{9}{5} \times \dfrac{1}{2} = \dfrac{9}{10}$　**4** $\dfrac{8}{7} \div 9 = \dfrac{8}{7} \times \dfrac{1}{9} = \dfrac{8}{63}$

5 $\dfrac{5}{4} \div 3 = \dfrac{5}{4} \times \dfrac{1}{3} = \dfrac{5}{12}$　**6** $\dfrac{17}{12} \div 4 = \dfrac{17}{12} \times \dfrac{1}{4} = \dfrac{17}{48}$

---

1 $2\dfrac{2}{3}$ 를 가분수로 나타내면 $\dfrac{8}{3}$ 입니다. 8은 4로 나누어 떨어지므로 $2\dfrac{2}{3} \div 4 = \dfrac{8}{3} \div 4 = \dfrac{8 \div 4}{3} = \dfrac{2}{3}$ 입니다.

2 $3\dfrac{3}{5}$ 을 가분수로 나타내면 $\dfrac{18}{5}$ 입니다.
18은 6으로 나누어떨어지므로
$3\dfrac{3}{5} \div 6 = \dfrac{18}{5} \div 6 = \dfrac{18 \div 6}{5} = \dfrac{3}{5}$ 입니다.

3 $\dfrac{9}{4}$ 에서 분자 9가 5로 나누어떨어지지 않으므로
$\dfrac{9}{4} \times \dfrac{1}{5}$ 로 나타내어 계산합니다.

4 $\dfrac{13}{6}$ 에서 분자 13이 8로 나누어떨어지지 않으므로
$\dfrac{13}{6} \times \dfrac{1}{8}$ 로 나타내어 계산합니다.

5 $3\dfrac{3}{7} \div 8 = \dfrac{\overset{3}{\cancel{24}}}{7} \times \dfrac{1}{\underset{1}{\cancel{8}}} = \dfrac{3}{7}$

6 $5\dfrac{5}{6} \div 14 = \dfrac{\overset{5}{\cancel{35}}}{6} \times \dfrac{1}{\underset{2}{\cancel{14}}} = \dfrac{5}{12}$

7 $6\dfrac{7}{8} \div 11 = \dfrac{\overset{5}{\cancel{55}}}{8} \times \dfrac{1}{\underset{1}{\cancel{11}}} = \dfrac{5}{8}$

8 $9\dfrac{7}{9} \div 12 = \dfrac{\overset{22}{\cancel{88}}}{9} \times \dfrac{1}{\underset{3}{\cancel{12}}} = \dfrac{22}{27}$

27쪽 1단계 교과서 개념

1 $2\dfrac{2}{3} \div 4 = \dfrac{8}{3} \div 4 = \dfrac{8 \div 4}{3} = \dfrac{2}{3}$

2 $3\dfrac{3}{5} \div 6 = \dfrac{18}{5} \div 6 = \dfrac{18 \div 6}{5} = \dfrac{3}{5}$

3 $2\dfrac{1}{4} \div 5 = \dfrac{\boxed{9}}{4} \times \dfrac{1}{\boxed{5}} = \dfrac{\boxed{9}}{\boxed{20}}$

4 $2\dfrac{1}{6} \div 8 = \dfrac{\boxed{13}}{6} \times \dfrac{1}{\boxed{8}} = \dfrac{\boxed{13}}{\boxed{48}}$

5 $\dfrac{3}{7}$　　**6** $\dfrac{5}{12}$　　**7** $\dfrac{5}{8}$　　**8** $\dfrac{22}{27}$

28~29쪽 2단계 개념 집중 연습

01 $\dfrac{5}{8}$　**02** $\dfrac{7}{24}$　**03** $\dfrac{9}{10}$　**04** $\dfrac{9}{14}$

05 $\dfrac{7}{24}$　**06** $\dfrac{9}{32}$　**07** $\dfrac{11}{21}$　**08** $\dfrac{4}{15}$

09 $\dfrac{4}{9}$　**10** $\dfrac{6}{91}$　**11** $\dfrac{5}{9}$　**12** $\dfrac{8}{21}$

13 $\dfrac{6}{5}\left(=1\dfrac{1}{5}\right)$　**14** $\dfrac{5}{6}$　　**15** $\dfrac{27}{40}$

16 $\dfrac{28}{27}\left(=1\dfrac{1}{27}\right)$　**17** $\dfrac{9}{5}\left(=1\dfrac{4}{5}\right)$　**18** $\dfrac{21}{32}$

19 $\dfrac{4}{7}$　　　　**20** $\dfrac{4}{9}$

01 $\dfrac{35}{8} \div 7 = \dfrac{35 \div 7}{8} = \dfrac{5}{8}$

02 $\dfrac{21}{8} \div 9 = \dfrac{\overset{7}{\cancel{21}}}{8} \times \dfrac{1}{\underset{3}{\cancel{9}}} = \dfrac{7}{24}$

03 $\dfrac{36}{5} \div 8 = \dfrac{\overset{9}{\cancel{36}}}{5} \times \dfrac{1}{\underset{2}{\cancel{8}}} = \dfrac{9}{10}$

04 $\dfrac{27}{7} \div 6 = \dfrac{\overset{9}{\cancel{27}}}{7} \times \dfrac{1}{\underset{2}{\cancel{6}}} = \dfrac{9}{14}$

05 $\dfrac{35}{12} \div 10 = \dfrac{\overset{7}{\cancel{35}}}{12} \times \dfrac{1}{\underset{2}{\cancel{10}}} = \dfrac{7}{24}$

06 $\dfrac{9}{8} \div 4 = \dfrac{9}{8} \times \dfrac{1}{4} = \dfrac{9}{32}$

07 $\dfrac{11}{7} \div 3 = \dfrac{11}{7} \times \dfrac{1}{3} = \dfrac{11}{21}$

08 $\dfrac{16}{15} \div 4 = \dfrac{16 \div 4}{15} = \dfrac{4}{15}$

09 $\dfrac{20}{9} \div 5 = \dfrac{20 \div 5}{9} = \dfrac{4}{9}$

10 $\dfrac{18}{13} \div 21 = \dfrac{\overset{6}{\cancel{18}}}{13} \times \dfrac{1}{\underset{7}{\cancel{21}}} = \dfrac{6}{91}$

12 $2\dfrac{2}{3} \div 7 = \dfrac{8}{3} \div 7 = \dfrac{8}{3} \times \dfrac{1}{7} = \dfrac{8}{21}$

13 $9\dfrac{3}{5} \div 8 = \dfrac{48}{5} \div 8 = \dfrac{48 \div 8}{5} = \dfrac{6}{5} \left(= 1\dfrac{1}{5} \right)$

14 $5\dfrac{5}{6} \div 7 = \dfrac{35}{6} \div 7 = \dfrac{35 \div 7}{6} = \dfrac{5}{6}$

15 $3\dfrac{3}{8} \div 5 = \dfrac{27}{8} \div 5 = \dfrac{27}{8} \times \dfrac{1}{5} = \dfrac{27}{40}$

16 $9\dfrac{1}{3} \div 9 = \dfrac{28}{3} \div 9 = \dfrac{28}{3} \times \dfrac{1}{9} = \dfrac{28}{27} \left(= 1\dfrac{1}{27} \right)$

17 $5\dfrac{2}{5} \div 3 = \dfrac{27}{5} \div 3 = \dfrac{27 \div 3}{5} = \dfrac{9}{5} \left(= 1\dfrac{4}{5} \right)$

18 $2\dfrac{5}{8} \div 4 = \dfrac{21}{8} \div 4 = \dfrac{21}{8} \times \dfrac{1}{4} = \dfrac{21}{32}$

19 $3\dfrac{3}{7} \div 6 = \dfrac{24}{7} \div 6 = \dfrac{24 \div 6}{7} = \dfrac{4}{7}$

---

01  , $\dfrac{1}{9}$

02 예
0   $\dfrac{4}{9}$ $\dfrac{4}{9}$ 1   , $\dfrac{4}{9}$

03 예 , $\dfrac{4}{3}$

04 $\dfrac{1}{8}$, 5, $\dfrac{5}{8}$　　　　**05** 1, 1, 1, 1, 6

06 (1) 14, 2　(2) 15, 15, 3　**07**

08 (1) $\dfrac{2}{15}$　(2) $\dfrac{9}{70}$　(3) $\dfrac{11}{48}$　(4) $\dfrac{4}{15}$

09 $1\dfrac{4}{7} \div 2 = \dfrac{11}{7} \div 2 = \dfrac{11}{7} \times \dfrac{1}{2} = \dfrac{11}{14}$

10 $\dfrac{3}{5}$, 7, $\dfrac{3}{35}$ $\left($ 또는 $\dfrac{3}{7} \div 5 = \dfrac{3}{35} \right)$

11 방법 1 예 $2\dfrac{2}{7} \div 4 = \dfrac{16}{7} \div 4 = \dfrac{16 \div 4}{7} = \dfrac{4}{7}$

　　 방법 2 예 $2\dfrac{2}{7} \div 4 = \dfrac{16}{7} \div 4 = \dfrac{16}{7} \times \dfrac{1}{4} = \dfrac{16}{28} = \dfrac{4}{7}$

12 $\dfrac{8}{15} \div 4 = \dfrac{2}{15}$; $\dfrac{2}{15}$ m　**13** $\dfrac{7}{3} \left(= 2\dfrac{1}{3} \right)$ L

---

02 수직선에 $\dfrac{8}{9}$ 만큼 표시하고 이것을 두 부분으로 나누면 $\dfrac{4}{9}$ 가 됩니다.

03 각각의 원에 1칸씩 색칠하거나 전체 중 4칸을 색칠합니다.

04 $1 \div 8 = \dfrac{1}{8}$ 입니다. $5 \div 8$ 은 $\dfrac{1}{8}$ 이 5개인 것과 같으므로 $5 \div 8 = \dfrac{5}{8}$ 입니다.

05 $6 \div 5$ 의 몫은 1이고 나머지는 1입니다. 나머지 1을 다시 5로 나누면 $\dfrac{1}{5}$ 이므로 $6 \div 5 = 1\dfrac{1}{5} = \dfrac{6}{5}$ 입니다.

06 (1) 14는 7로 나누어떨어지므로 분자를 자연수로 나눕니다. $\dfrac{14}{17} \div 7 = \dfrac{14 \div 7}{17} = \dfrac{2}{17}$

(2) 분자가 자연수의 배수가 아니면 크기가 같은 분수 중에서 분자가 자연수의 배수인 분수로 바꾸어 계산합니다.

$$\frac{3}{4} \div 5 = \frac{15}{20} \div 5 = \frac{15 \div 5}{20} = \frac{3}{20}$$

08 (1) $\frac{8}{15} \div 4 = \frac{8 \div 4}{15} = \frac{2}{15}$

(2) $\frac{9}{14} \div 5 = \frac{9}{14} \times \frac{1}{5} = \frac{9}{70}$

(3) $\frac{11}{6} \div 8 = \frac{11}{6} \times \frac{1}{8} = \frac{11}{48}$

(4) $1\frac{1}{3} \div 5 = \frac{4}{3} \div 5 = \frac{4}{3} \times \frac{1}{5} = \frac{4}{15}$

09 대분수를 가분수로 바꾸지 않고 잘못 계산했습니다.

10 결과가 가장 작은 나눗셈식을 만들려면 계산 결과의 분모가 커지도록 식을 만들어야 합니다. 나누는 수가 자연수인 경우 나누어지는 수의 분모와 곱해지기 때문에 $\frac{3}{5} \div 7$이나 $\frac{3}{7} \div 5$를 만들 수 있습니다.

12 정사각형은 네 변의 길이가 모두 같으므로

(한 변의 길이)$= \frac{8}{15} \div 4 = \frac{8 \div 4}{15} = \frac{2}{15}$ (m)입니다.

13 주스는 $\frac{7}{5} \times 5 = 7$ (L) 있으므로 하루에 마셔야 할 주스는 $7 \div 3 = \frac{7}{3} \left(= 2\frac{1}{3} \right)$(L)입니다.

34~36쪽　**4단계** 단원 평가

01 예 ▭▭▭▭|▭▭▭▭|▭▭▭▭ , $\frac{3}{5}$

02 $\frac{1}{6}, \frac{1}{6}, \frac{1}{6}, \frac{1}{6}, \frac{5}{48}$　　**03** 3, 3, 3, 3, 10

04 3, $\frac{3}{10}$　　　　　　**05** 72, 72, $\frac{9}{32}$

06 $\frac{5}{8}, \frac{4}{9}$　　**07** ④　　**08** $\frac{4}{9}$

09 $\frac{13}{18}$　　**10** $\frac{5}{12}$　　**11** $\frac{6}{5} \left(= 1\frac{1}{5} \right)$

12 $\frac{3}{5}$　　**13** 정아, $\frac{11}{27}$　　**14** (　) (○)

---

15 $\frac{5}{12} \div 10 = \frac{\overset{1}{\cancel{5}}}{12} \times \frac{1}{\underset{2}{\cancel{10}}} = \frac{1}{24}$

16 $\frac{4}{9}$ m　　**17** $\frac{3}{4}$ kg　　**18** $\frac{17}{15} \left(= 1\frac{2}{15} \right)$ cm

19 $\frac{7}{15}$ kg　　**20** $\frac{21}{5} \left(= 4\frac{1}{5} \right)$ cm

---

02 $\frac{5}{8} \div 6$은 $\frac{5}{8}$를 똑같이 6으로 나눈 것 중의 하나이므로 $\frac{5}{8} \times \frac{1}{6}$입니다.

04 9는 3의 배수이므로 분자를 자연수로 나눕니다.

06 $5 \div 8 = \frac{5}{8}, \ 4 \div 9 = \frac{4}{9}$

07 대분수를 먼저 가분수로 바꿉니다.

$1\frac{2}{3} = \frac{5}{3}$이므로 $1\frac{2}{3} \div 7 = \frac{5}{3} \div 7 = \frac{5}{3} \times \frac{1}{7}$입니다.

08 $\frac{16}{9} \div 4 = \frac{16 \div 4}{9} = \frac{4}{9}$

09 $\frac{13}{6} \div 3 = \frac{13}{6} \times \frac{1}{3} = \frac{13}{18}$

10 $4\frac{1}{6} \div 10 = \frac{\overset{5}{\cancel{25}}}{6} \times \frac{1}{\underset{2}{\cancel{10}}} = \frac{5}{12}$

11 $8\frac{2}{5} \div 7 = \frac{42}{5} \div 7 = \frac{42 \div 7}{5} = \frac{6}{5} \left(= 1\frac{1}{5} \right)$

12 $\frac{21}{5} \div 7 = \frac{\overset{3}{\cancel{21}}}{5} \times \frac{1}{\underset{1}{\cancel{7}}} = \frac{3}{5}$

13 수현: $\frac{36}{7} \div 8 = \frac{\overset{9}{\cancel{36}}}{7} \times \frac{1}{\underset{2}{\cancel{8}}} = \frac{9}{14}$,

정아: $\frac{22}{9} \div 6 = \frac{\overset{11}{\cancel{22}}}{9} \times \frac{1}{\underset{3}{\cancel{6}}} = \frac{11}{27}$

따라서 계산을 잘못한 친구는 정아이고 바르게 계산하면 $\frac{11}{27}$입니다.

14

$$\frac{27}{8} \div 9 = \frac{27 \div 9}{8} = \frac{3}{8}$$

$$\frac{25}{6} \div 20 = \frac{\overset{5}{\cancel{25}}}{6} \times \frac{1}{\underset{4}{\cancel{20}}} = \frac{5}{24}$$

$$\frac{15}{4} \div 10 = \frac{\overset{3}{\cancel{15}}}{4} \times \frac{1}{\underset{2}{\cancel{10}}} = \frac{3}{8}$$

15 $\div 10$을 $\times \frac{1}{10}$로 바꾸어 계산합니다.

16 $4 \div 9 = \frac{4}{9}$이므로 한 사람이 가진 리본은 $\frac{4}{9}$ m입니다.

17 (한 사람이 가지는 쌀의 무게)$= \frac{21}{4} \div 7$

$$= \frac{21 \div 7}{4} = \frac{3}{4} \text{ (kg)}$$

18 (세로)$=$(직사각형의 넓이)$\div$(가로)

$$= \frac{34}{15} \div 2 = \frac{\overset{17}{\cancel{34}}}{15} \times \frac{1}{\underset{1}{\cancel{2}}} = \frac{17}{15}\left(=1\frac{2}{15}\right) \text{ (cm)}$$

19 배 6개의 무게: $3\frac{1}{5} - \frac{2}{5} = \frac{14}{5}$ (kg)

배 한 개의 무게: $\frac{14}{5} \div 6 = \frac{\overset{7}{\cancel{14}}}{5} \times \frac{1}{\underset{3}{\cancel{6}}} = \frac{7}{15}$ (kg)

20 정삼각형은 세 변의 길이가 모두 같으므로 한 변의 길이는

$$12\frac{3}{5} \div 3 = \frac{\overset{21}{\cancel{63}}}{5} \times \frac{1}{\underset{1}{\cancel{3}}} = \frac{21}{5}\left(=4\frac{1}{5}\right) \text{ (cm)}$$입니다.

37쪽 　　　　　　　　　　　스스로 **학습장**

1 예 $\frac{3}{7} \div 4 = \frac{3}{7} \times \frac{1}{4} = \frac{3}{28}$

2 예 $\frac{7}{9} \div 3 = \frac{7}{9} \times \frac{1}{3} = \frac{7}{27}$

3 예 $\frac{7}{3} \div 8 = \frac{7}{3} \times \frac{1}{8} = \frac{7}{24}$

4 예 $\frac{21}{4} \div 8 = \frac{21}{4} \times \frac{1}{8} = \frac{21}{32}$

5 예 $2\frac{3}{4} \div 5 = \frac{11}{4} \div 5 = \frac{11}{4} \times \frac{1}{5} = \frac{11}{20}$

6 예 $5\frac{3}{8} \div 4 = \frac{43}{8} \times \frac{1}{4} = \frac{43}{32} = 1\frac{11}{32}$

---

2. 각기둥과 각뿔

40~41쪽 　　　　　　　　　　준비 **학습**

1 (1) 팔각형　(2) 육각형　　**2** ( )( )(○)( )

3 다, 가, 나

4 (1) 면 ㄹㄷㅅㅇ

　(2) 면 ㄱㄴㅂㅁ, 면 ㄱㄴㄷㄹ, 면 ㅁㅂㅅㅇ, 면 ㄷㅅㅇㄹ

5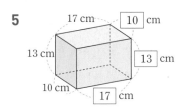

6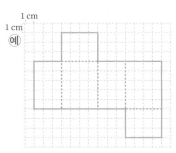

---

1 (1) 변이 8개인 다각형입니다. ⇨ 팔각형

　(2) 변이 6개인 다각형입니다. ⇨ 육각형

2 정오각형은 5개의 변의 길이가 모두 같고, 5개의 각의 크기가 모두 같은 도형입니다.

3 가: 5개, 나: 2개, 다: 9개

참고

꼭짓점의 수가 많은 다각형일수록 더 많은 대각선을 그을 수 있습니다.

4 (1) 면 ㄱㄴㅂㅁ과 마주 보는 면은 면 ㄹㄷㅅㅇ입니다.

(2) 면 ㄴㅂㅅㄷ과 만나는 면을 모두 찾으면
면 ㄱㄴㅂㅁ, 면 ㄱㄴㄷㄹ, 면 ㅁㅂㅅㅇ, 면 ㄷㅅㅇㄹ
입니다.

5 직육면체의 면은 직사각형이므로 마주 보는 변의 길이, 즉 평행한 모서리의 길이는 모두 같습니다.

6 직육면체를 잘라서 펼쳤을 때 잘리지 않은 모서리는 점선, 잘린 모서리는 실선으로 그리고, 접었을 때 서로 만나는 모서리의 길이가 같도록 그립니다.

43쪽 **1단계 교과서 개념**

1 ○　　**2** ○　　**3** ×

4　**5**　**6**

1 면 ㄱㄴㄷㄹ과 면 ㅁㅂㅅㅇ이 서로 평행하고 합동인 다각형으로 이루어졌으므로 각기둥입니다.

2 서로 평행한 두 면이 있고 그 두 면이 합동인 다각형이므로 각기둥입니다.

4~6 서로 평행하고 나머지 다른 면에 수직인 두 면을 찾아 모두 색칠합니다.

45쪽 **1단계 교과서 개념**

1 사각기둥　　　　**2** 삼각기둥

3 (1) 모서리　(2) 육각형, 육각기둥　(3) 18

4 8개　　　　　**5** 10개

---

1 밑면의 모양이 사각형이므로 사각기둥입니다.

> 참고
> 각기둥의 밑면의 모양이 사다리꼴, 평행사변형, 마름모라고 하더라도 모두 사각형 모양이기 때문에 사각기둥이라고 할 수 있습니다.

2 밑면의 모양이 삼각형이므로 삼각기둥입니다.

4~5 모서리와 모서리가 만나는 점이 모두 몇 개인지 세어 봅니다.

46~47쪽 **2단계 개념 집중 연습**

01 가, 나, 다, 마, 바　　**02** 나, 다, 바

03 나, 다, 바　　**04** (○) ( ) ( ) (○)

05 (1) 면 ㄱㄴㄷ, 면 ㄹㅁㅂ

(2) 면 ㄱㄹㅁㄴ, 면 ㄴㅁㅂㄷ, 면 ㄱㄹㅂㄷ

06 (1) 꼭짓점 ㄱ, 꼭짓점 ㄴ, 꼭짓점 ㄷ, 꼭짓점 ㄹ, 꼭짓점 ㅁ,
꼭짓점 ㅂ

(2) 모서리 ㄱㄹ, 모서리 ㄴㅁ, 모서리 ㄷㅂ,
모서리 ㄱㄴ, 모서리 ㄴㄷ, 모서리 ㄱㄷ,
모서리 ㄹㅁ, 모서리 ㅁㅂ, 모서리 ㄹㅂ

07 칠각형, 칠각기둥　　**08** 오각형, 오각기둥

09 육각형, 육각기둥　　**10** 6, 9

11 8, 12　　　　**12** 10, 15

13 16, 24

---

01 라는 서로 평행한 두 면이 없습니다.

02 가는 서로 평행한 두 면이 다각형이 아니고, 마는 서로 평행한 두 면이 합동이 아닙니다.

04 각기둥은 첫 번째와 네 번째입니다.

05 (1) 서로 평행하고 합동인 두 면을 찾아 씁니다.

> 참고
> 면 ㄱㄴㄷ을 면 ㄱㄷㄴ이라고 써도 틀린 것이 아닙니다.

(2) 밑면과 수직으로 만나는 면 3개를 모두 찾아 씁니다.

06 (1) 모서리와 모서리가 만나는 점 6개를 모두 찾아 씁니다.

(2) 면과 면이 만나는 선분 9개를 모두 찾아 씁니다.

07 밑면은 변이 7개인 다각형이므로 칠각형입니다.
밑면의 모양이 칠각형이므로 칠각기둥입니다.

08 밑면은 변이 5개인 다각형이므로 오각형입니다.
밑면의 모양이 오각형이므로 오각기둥입니다.

09 밑면은 변이 6개인 다각형이므로 육각형입니다.
밑면의 모양이 육각형이므로 육각기둥입니다.

10

한 밑면의 변의 수	3개
꼭짓점의 수	6개
모서리의 수	9개

11

한 밑면의 변의 수	4개
꼭짓점의 수	8개
모서리의 수	12개

12

한 밑면의 변의 수	5개
꼭짓점의 수	10개
모서리의 수	15개

13

한 밑면의 변의 수	8개
꼭짓점의 수	16개
모서리의 수	24개

49쪽　　**1단계 교과서 개념**

1 사각기둥　　**2** 삼각기둥　　**3** 오각기둥

4

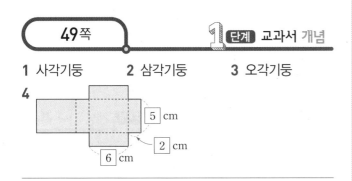

---

1 밑면의 모양이 사각형이므로 사각기둥의 전개도입니다.

2 밑면의 모양이 삼각형이므로 삼각기둥의 전개도입니다.

3 밑면의 모양이 오각형이므로 오각기둥의 전개도입니다.

4 모서리를 어떻게 잘라서 펼친 것인지 생각하여 □ 안에 알맞은 수를 써넣습니다.

51쪽　　**1단계 교과서 개념**

1

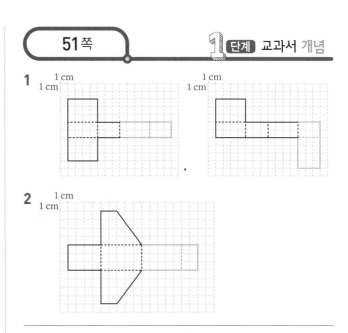

---

1 각기둥의 전개도는 모서리를 자르는 방법에 따라 여러 가지가 나올 수 있습니다.

2 잘린 모서리는 실선으로, 잘리지 않은 모서리는 점선으로 그려 사각기둥의 전개도를 완성합니다.

52~53쪽　　**2단계 개념 집중 연습**

01 오각기둥　**02** 삼각기둥　**03** 사각기둥　**04** 육각기둥

05

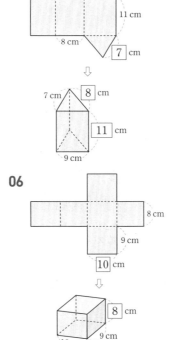

06

07
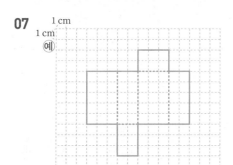
1 cm
1 cm
(예)

08
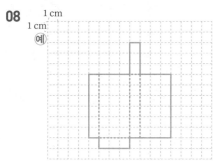
1 cm
1 cm
(예)

09
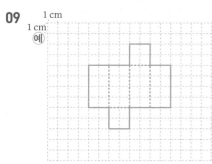
1 cm
1 cm
(예)

10
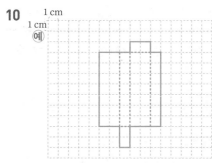
1 cm
1 cm
(예)

01 밑면의 모양이 오각형이므로 오각기둥의 전개도입니다.

02 밑면의 모양이 삼각형이므로 삼각기둥의 전개도입니다.

03 밑면의 모양이 사각형이므로 사각기둥의 전개도입니다.

04 밑면의 모양이 육각형이므로 육각기둥의 전개도입니다.

07~10 잘린 모서리는 실선으로, 잘리지 않은 모서리는 점선으로 그립니다.

55쪽 **1단계 교과서 개념**

1 (○) (×) (○) (×) (○)

2 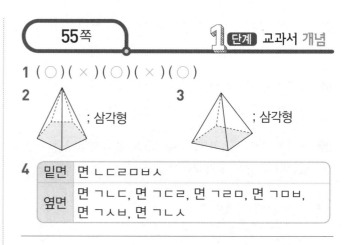 ; 삼각형 **3** ; 삼각형

4

밑면	면 ㄴㄷㄹㅁㅂㅅ
옆면	면 ㄱㄴㄷ, 면 ㄱㄷㄹ, 면 ㄱㄹㅁ, 면 ㄱㅁㅂ, 면 ㄱㅅㅂ, 면 ㄱㄴㅅ

2~3 각뿔의 옆면은 모두 삼각형입니다.

57쪽 **1단계 교과서 개념**

1 삼각형, 삼각뿔 **2** 오각형, 오각뿔

3 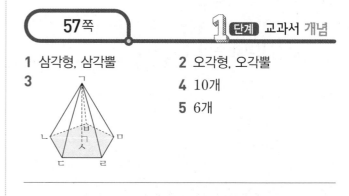 **4** 10개

5 6개

1 밑면의 모양이 삼각형이므로 삼각뿔입니다.

2 밑면의 모양이 오각형이므로 오각뿔입니다.

4 모서리 ㄱㄴ, 모서리 ㄱㄷ, 모서리 ㄱㄹ, 모서리 ㄱㅁ, 모서리 ㄱㅂ, 모서리 ㄴㄷ, 모서리 ㄷㄹ, 모서리 ㄹㅁ, 모서리 ㅁㅂ, 모서리 ㄴㅂ ⇨ 10개

5 꼭짓점 ㄱ, 꼭짓점 ㄴ, 꼭짓점 ㄷ, 꼭짓점 ㄹ, 꼭짓점 ㅁ, 꼭짓점 ㅂ ⇨ 6개

58~59쪽 **2단계 개념 집중 연습**

01 나, 다, 라, 마, 바 **02** 나, 라, 마

03 나, 라, 마 **04** ( ) (○) ( ) (○)

05 오각형, 오각뿔 **06** 칠각형, 칠각뿔

07 육각형, 육각뿔 **08** 팔각형, 팔각뿔

09 (1) 면 ㄴㄷㄹㅁㅂ
(2) 면 ㄱㄴㄷ, 면 ㄱㄷㄹ, 면 ㄱㄹㅁ, 면 ㄱㅁㅂ, 면 ㄱㄴㅂ

10 (1) 면 ㄴㄷㄹㅁ
(2) 꼭짓점 ㄱ, 꼭짓점 ㄴ, 꼭짓점 ㄷ, 꼭짓점 ㄹ, 꼭짓점 ㅁ

11 4, 6 **12** 5, 8 **13** 6, 10 **14** 7, 12

01 가는 밑면이 다각형이 아닙니다.

03 밑면이 다각형이고 옆면이 모두 삼각형인 입체도형 을 모두 찾으면 나, 라, 마입니다.

04 밑면이 다각형이고 옆면이 모두 삼각형인 입체도형 은 왼쪽에서 두 번째와 네 번째 도형입니다.

05 밑면의 모양이 오각형이므로 오각뿔입니다.

06 밑면의 모양이 칠각형이므로 칠각뿔입니다.

07 밑면의 모양이 육각형이므로 육각뿔입니다.

08 밑면의 모양이 팔각형이므로 팔각뿔입니다.

09 (2) 밑면과 만나는 면 5개를 모두 찾아 씁니다.

10 (2) 모서리와 모서리가 만나는 점 5개를 모두 찾아 씁 니다.

11

밑면의 변의 수	3개
꼭짓점의 수	4개
모서리의 수	6개

12

밑면의 변의 수	4개
꼭짓점의 수	5개
모서리의 수	8개

13

밑면의 변의 수	5개
꼭짓점의 수	6개
모서리의 수	10개

14

밑면의 변의 수	6개
꼭짓점의 수	7개
모서리의 수	12개

01 (1) 다, 마, 바   (2) 가, 나, 라, 사, 아   (3) 가, 라, 사, 아
(4) 각기둥

02 (위부터) 4, 8, 6, 12; 5, 10, 7, 15

03 (1) 가, 나, 다, 라, 바   (2) 나, 다   (3) 나, 다

04 (위부터) 3, 4, 4, 6; 5, 6, 6, 10

05

06 (1) 삼각기둥   (2) 선분 ㅅㅂ
(3) 면 ㄱㄴㄷㅊ, 면 ㅊㄷㅁㅇ, 면 ㅇㅁㅂㅅ

07
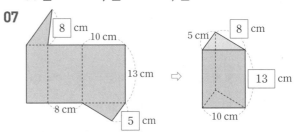

08
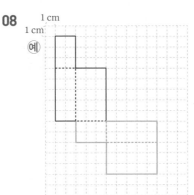

09
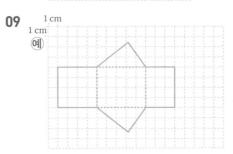

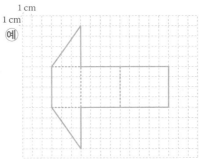

02 가는 사각기둥이고 나는 오각기둥입니다.

04 가는 삼각뿔이고 나는 오각뿔입니다.

06 (1) 밑면의 모양이 삼각형이므로 삼각기둥이 됩니다.
(3) 면 ㄷㄹㅁㅇ은 밑면이고 밑면과 만나는 면은 옆면이
므로 삼각기둥의 옆면을 모두 찾으면 면 ㄱㄴㄷㅊ,
면 ㅊㄷㅁㅇ, 면 ㅇㅁㅂㅅ입니다.

> **주의**
> 면의 이름을 쓸 때 한 방향으로 이어서 씁니다.
>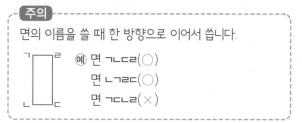

08 잘린 모서리는 실선으로, 잘리지 않은 모서리는 점선
으로 그립니다.

09 각기둥의 전개도는 모서리를 자르는 방법에 따라 여
러 가지가 나올 수 있습니다.

64~66쪽 **4단계 단원 평가**

01 다, 라 **02** 나, 바
03 육각뿔 **04** 육각형, 육각기둥
05 (위부터) 각뿔의 꼭짓점, 모서리, 옆면, 높이, 밑면
06 면 ㄱㄴㄷㄹㅁ, 면 ㅂㅅㅇㅈㅊ
07 5개 **08** ㄷ
09 면 ㄴㄷㄹㅁ **10** 4개
11 면 ㄱㄴㄷ, 면 ㄱㄷㄹ, 면 ㄱㄹㅁ, 면 ㄱㄴㅁ
12 8 cm **13** 삼각기둥
14
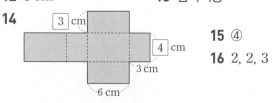
15 ④
16 2, 2, 3

17 예 밑면이 2개이고 옆면의 모양이 사다리꼴이므로 각뿔
이 아닙니다.

18
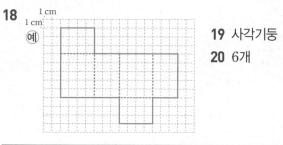
19 사각기둥
20 6개

---

01 서로 평행한 두 면이 있고 그 두 면이 합동인 다각형
으로 이루어진 입체도형은 다, 라입니다.

02 밑면이 다각형이고 옆면이 모두 삼각형인 입체도형
은 나, 바입니다.

03 밑면의 모양이 육각형인 각뿔이므로 육각뿔입니다.

04 밑면의 모양이 육각형이므로 육각기둥입니다.

06 서로 평행한 두 면은 밑면입니다.

07 각기둥에서 밑면에 수직인 면은 옆면입니다. 오각기
둥의 옆면은 모두 5개입니다.

08 자와 삼각자를 이용하여 각뿔의 꼭짓점에서 밑면에
수직이 되도록 세워 높이를 잽니다.

> **참고**
> 각뿔의 높이를 잴 때 자와 삼각자의 직각을 이용하면
> 정확하고 쉽게 잴 수 있습니다.

10 각뿔에서 밑면과 만나는 면은 옆면입니다.
사각뿔의 옆면은 모두 4개입니다.

11 각뿔의 옆면은 삼각형입니다.

12 각기둥의 높이는 두 밑면 사이의 거리입니다.

13 밑면의 모양이 삼각형이므로 삼각기둥의 전개도입니다.

14 각기둥의 전개도를 점선을 따라 접을 때 맞닿는 선분
의 길이는 같습니다.

15 ④ 모서리의 수는 (한 밑면의 변의 수)×3이고 면의
수는 (한 밑면의 변의 수)+2이므로 모서리의 수
가 더 많습니다.

16 각기둥에서 (꼭짓점의 수)=(한 밑면의 변의 수)×2
(면의 수)=(한 밑면의 변의 수)+2
(모서리의 수)=(한 밑면의 변의 수)×3

17
> **주의**
> 각뿔은 밑면이 1개이고 옆면의 모양은 모두 삼각형입니다.

18 전개도는 모서리를 자르는 방법에 따라 여러 가지 모
양이 나올 수 있습니다.

19 밑면의 모양이 사각형이므로 사각기둥의 전개도입니다.

20 사각기둥의 한 밑면의 변의 수는 4개입니다.
(사각기둥의 면의 수)$=4+2=6$(개)
(사각기둥의 모서리의 수)$=4\times3=12$(개)
$\Rightarrow 12-6=6$(개)

67쪽　　　　　　　　　　　스스로 **학습장**

1 (○) (　)　　　　　　**2** (○) (　)
3 (　) (○)　　　　　　**4** (　) (○)
5 (○) (　)　　　　　　**6** (　) (○)
7 (○) (　)　　　　　　**8** (　) (○)

---

3. 소수의 나눗셈

학부모 지도 가이드

이 단원에서는 자연수의 나눗셈, 분수의 나눗셈 계산 원리를 이용하여 소수의 나눗셈을 계산하는 방법을 학습하게 됩니다.
원리를 이해하고 세로 계산으로 할 수 있도록 지도해주시고 몫을 어림하는 활동을 통하여 소수점의 위치를 바르게 표시하도록 지도해 주세요. 소수의 나눗셈 계산 원리를 이해하고 충분히 계산할 수 있도록 지도해 주세요.

70~71쪽　　　　　　　　　　　　준비 **학습**

1
(1)
```
    4.9
  × 1.7
  3 4 3
  4 9
  8.3 3
```
(2)
```
    6.4 3
  ×   1.7
  4 5 0 1
  6 4 3
  1 0.9 3 1
```

2 (1) 84.32, 843.2, 8432　(2) 37.9, 3.79, 0.379

3 $1\dfrac{3}{5}\div6=\dfrac{8}{5}\div6=\dfrac{\overset{4}{\cancel{8}}}{5}\times\dfrac{1}{\underset{3}{\cancel{6}}}=\dfrac{4}{15}$

4 (1) $\dfrac{4}{5}$　(2) $\dfrac{6}{13}$　　　　**5** (1) $\dfrac{1}{5}$　(2) $\dfrac{9}{52}$

6 $8.4\times3=25.2$; 25.2 cm²

7 $43.8\times1.25=54.75$; 54.75 kg

---

2 (1) 소수에 10, 100, 1000을 곱하면 소수점이 오른쪽으로 한 칸, 두 칸, 세 칸이 옮겨집니다.
(2) 소수에 0.1, 0.01, 0.001을 곱하면 소수점이 왼쪽으로 한 칸, 두 칸, 세 칸이 옮겨집니다.

5 (1) $\dfrac{12}{15}\div4=\dfrac{12\div4}{15}=\dfrac{3}{15}=\dfrac{1}{5}$

(2) $\dfrac{9}{13}\div4=\dfrac{9}{13}\times\dfrac{1}{4}=\dfrac{9}{52}$

6 (직사각형의 넓이)$=$(가로)$\times$(세로)
$\qquad\qquad\qquad=8.4\times3=25.2$ (cm²)

7 (민지의 몸무게)$=$(혜준이의 몸무게)$\times1.25$
$\qquad\qquad\qquad=43.8\times1.25=54.75$ (kg)

73쪽　　　　　　**1 단계 교과서 개념**

1
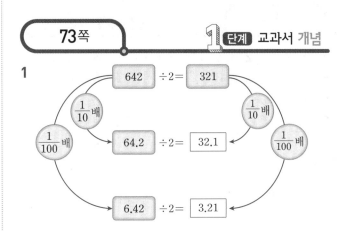

2 112, 11.2, 1.12

3 (왼쪽부터) 213, 21.3, 2.13, $\dfrac{1}{10}$, $\dfrac{1}{100}$

---

1 64.2는 642의 $\dfrac{1}{10}$ 배이고 6.42는 642의 $\dfrac{1}{100}$ 배이므로 몫도 64.2÷2는 321의 $\dfrac{1}{10}$ 배인 32.1, 6.42÷2는 321의 $\dfrac{1}{100}$ 배인 3.21이 됩니다.

2 448÷4=112입니다.
44.8은 448의 $\dfrac{1}{10}$ 배이고 4.48은 448의 $\dfrac{1}{100}$ 배이므로 몫도 44.8÷4는 112의 $\dfrac{1}{10}$ 배인 11.2이고 4.48÷4는 112의 $\dfrac{1}{100}$ 배인 1.12가 됩니다.

3 639÷3＝213입니다.

63.9는 639의 $\frac{1}{10}$ 배이고 6.39는 639의 $\frac{1}{100}$ 배

이므로 몫도 63.9÷3은 213의 $\frac{1}{10}$ 배인 21.3이고

6.39÷3은 213의 $\frac{1}{100}$ 배인 2.13이 됩니다.

75쪽 1단계 교과서 개념

1 28, 2.8　　**2** 324, 3.24　**3** 4.46　　**4** 5.4
5 4.47　　　**6** 6.47　　　　**7** 3.31　　**8** 5.63

3
```
      4.4 6
4) 1 7.8 4
     1 6
       1 8
       1 6
         2 4
         2 4
           0
```

4
```
      5.4
9) 4 8.6
     4 5
       3 6
       3 6
         0
```

5
```
      4.4 7
5) 2 2.3 5
     2 0
       2 3
       2 0
         3 5
         3 5
           0
```

6
```
      6.4 7
6) 3 8.8 2
     3 6
       2 8
       2 4
         4 2
         4 2
           0
```

7
```
      3.3 1
6) 1 9.8 6
     1 8
       1 8
       1 8
         6
         6
         0
```

8
```
      5.6 3
5) 2 8.1 5
     2 5
       3 1
       3 0
         1 5
         1 5
           0
```

76~77쪽 2단계 개념 집중 연습

01 231, 23.1, 2.31　　**02** 312, 31.2, 3.12
03 111, 11.1, 1.11　　**04** 221, 22.1, 2.21
05 32, 3.2　　**06** 43, 4.3　　**07** 36, 3.6
08 26.57　　**09** 8.16　　**10** 7.53
11 5.89　　**12** 2.58　　**13** 3.75
14 4.92　　**15** 7.89

---

01 46.2는 462의 $\frac{1}{10}$ 배이므로 몫도 $\frac{1}{10}$ 배가 됩니다.

4.62는 462의 $\frac{1}{100}$ 배이므로 몫도 $\frac{1}{100}$ 배가 됩니다.

02 93.6은 936의 $\frac{1}{10}$ 배이므로 몫도 $\frac{1}{10}$ 배가 됩니다.

9.36은 936의 $\frac{1}{100}$ 배이므로 몫도 $\frac{1}{100}$ 배가 됩니다.

08
```
      2 6.5 7
3) 7 9.7 1
     6
     1 9
     1 8
       1 7
       1 5
         2 1
         2 1
           0
```

09
```
      8.1 6
8) 6 5.2 8
     6 4
       1 2
         8
         4 8
         4 8
           0
```

10
```
      7.5 3
4) 3 0.1 2
     2 8
       2 1
       2 0
         1 2
         1 2
           0
```

12
```
      2.5 8
7) 1 8.0 6
     1 4
       4 0
       3 5
         5 6
         5 6
           0
```

13
```
      3.7 5
9) 3 3.7 5
     2 7
       6 7
       6 3
         4 5
         4 5
           0
```

15
```
      7.8 9
6) 4 7.3 4
     4 2
       5 3
       4 8
         5 4
         5 4
           0
```

1단계 교과서 개념

1 100, 100, $\frac{13}{100}$, 0.13

2 36, 0.36　　**3** 0.82　　**4** 0.61

5 0.25　　**6** 0.32　　**7** 0.29

3
```
      0.8 2
   9)7.3 8
     7 2
     ───
       1 8
       1 8
       ───
         0
```

4
```
      0.6 1
   7)4.2 7
     4 2
     ───
         7
         7
       ───
         0
```

5
```
      0.2 5
   7)1.7 5
     1 4
     ───
       3 5
       3 5
       ───
         0
```

6
```
      0.3 2
   8)2.5 6
     2 4
     ───
       1 6
       1 6
       ───
         0
```

7
```
      0.2 9
   4)1.1 6
     8
     ───
       3 6
       3 6
       ───
         0
```

1단계 교과서 개념

1 820, 820, 164, 1.64

2 1.45　　**3** 1.35　　**4** 1.38

5 0.65　　**6** 1.65　　**7** 3.35

3
```
      1.3 5
   4)5.4 0
     4
     ───
       1 4
       1 2
       ───
         2 0
         2 0
         ───
           0
```

4
```
      1.3 8
   5)6.9 0
     5
     ───
       1 9
       1 5
       ───
         4 0
         4 0
         ───
           0
```

5
```
      0.6 5
   6)3.9 0
     3 6
     ───
       3 0
       3 0
       ───
         0
```

6
```
      1.6 5
   4)6.6 0
     4
     ───
       2 6
       2 4
       ───
         2 0
         2 0
         ───
           0
```

7
```
      3.3 5
   2)6.7 0
     6
     ───
       7
       6
       ───
       1 0
       1 0
       ───
         0
```

2단계 개념 집중 연습

01 729, 729, 81, 0.81　　**02** 441, 441, 63, 0.63

03 348, 348, 87, 0.87　　**04** 0.14

05 0.74　　**06** 0.92

07 0.87　　**08** 940, 940, 235, 2.35

09 450, 450, 225, 2.25　　**10** 830, 830, 166, 1.66

11 1.56　　**12** 2.15

13 1.25　　**14** 2.65

04
```
      0.1 4
   9)1.2 6
     9
     ───
       3 6
       3 6
       ───
         0
```

05
```
      0.7 4
   8)5.9 2
     5 6
     ───
       3 2
       3 2
       ───
         0
```

06
```
      0.9 2
   7)6.4 4
     6 3
     ───
       1 4
       1 4
       ───
         0
```

07
```
      0.8 7
   6)5.2 2
     4 8
     ───
       4 2
       4 2
       ───
         0
```

08 94÷4가 나누어떨어지지 않으므로 분모가 100인
분수로 바꾸어 계산합니다.

11
```
    1.5 6
 5)7.8 0
    5
    ─────
    2 8
    2 5
    ─────
      3 0
      3 0
      ─────
        0
```

12
```
    2.1 5
 4)8.6 0
    8
    ─────
    6
    4
    ─────
      2 0
      2 0
      ─────
        0
```

13
```
    1.2 5
 6)7.5 0
    6
    ─────
    1 5
    1 2
    ─────
      3 0
      3 0
      ─────
        0
```

14
```
    2.6 5
 2)5.3 0
    4
    ─────
    1 3
    1 2
    ─────
      1 0
      1 0
      ─────
        0
```

85쪽 **1단계 교과서 개념**

1 610, 610, 305, 3.05

2 108, 1.08 **3** 1.05 **4** 1.04
5 1.09 **6** 1.03 **7** 2.03

3
```
    1.0 5
 6)6.3 0
    6
    ─────
    3 0
    3 0
    ─────
      0
```

4
```
    1.0 4
 5)5.2 0
    5
    ─────
    2 0
    2 0
    ─────
      0
```

5
```
    1.0 9
 4)4.3 6
    4
    ─────
    3 6
    3 6
    ─────
      0
```

6
```
    1.0 3
 6)6.1 8
    6
    ─────
    1 8
    1 8
    ─────
      0
```

7
```
    2.0 3
 4)8.1 2
    8
    ─────
    1 2
    1 2
    ─────
      0
```

87쪽 **1단계 교과서 개념**

1 5, 18, 1.8 **2** 325, 3.25 **3** 4.4
4 0.75 **5** 2.25 **6** 1.4
7 0.375

3
```
    4.4
 5)2 2.0
    2 0
    ─────
    2 0
    2 0
    ─────
      0
```

4
```
    0.7 5
16)1 2.0 0
     1 1 2
     ─────
       8 0
       8 0
       ─────
         0
```

5
```
    2.2 5
 4)9.0 0
    8
    ─────
    1 0
    8
    ─────
    2 0
    2 0
    ─────
      0
```

7
```
    0.3 7 5
 8)3.0 0 0
    2 4
    ─────
    6 0
    5 6
    ─────
    4 0
    4 0
    ─────
      0
```

89쪽 **1단계 교과서 개념**

1 예 어림 $\boxed{39} \div \boxed{4}$ ⇨ 약 $\boxed{10}$; 몫 9 □ 8 □ 5

2 예 어림 $\boxed{22} \div \boxed{5}$ ⇨ 약 $\boxed{4}$; 몫 4 □ 3 □ 2

3 예 어림 $\boxed{81} \div \boxed{7}$ ⇨ 약 $\boxed{12}$; 몫 1 □ 1 □ 6

4 예 어림 $\boxed{61} \div \boxed{3}$ ⇨ 약 $\boxed{20}$; 몫 2 □ 0 □ 4

5 $93.8 \div 7 = 13.4$에 ○표

90~91쪽 **2단계 개념 집중 연습**

01 1.06 **02** 1.05 **03** 3.07 **04** 3.05
05 1.02 **06** 1.03 **07** 1.07 **08** 1.02

09 $6 \div 5 = \dfrac{6}{5} = \dfrac{12}{10} = 1.2$

10 $3 \div 2 = \dfrac{3}{2} = \dfrac{15}{10} = 1.5$ **11** $9 \div 2 = \dfrac{9}{2} = \dfrac{45}{10} = 4.5$

12 $15 \div 2 = \dfrac{15}{2} = \dfrac{75}{10} = 7.5$

13 $4 \div 25 = \dfrac{4}{25} = \dfrac{16}{100} = 0.16$ **14** $33 \div 5$

15 $6 \div 6$ **16** $20 \div 4$ **17** $16 \div 8$ **18** $35 \div 7$

01
$$
\begin{array}{r}
1.0\,6 \\
5\,\overline{)\,5.3\;0} \\
5 \\
\hline
3\;0 \\
3\;0 \\
\hline
0
\end{array}
$$

02
$$
\begin{array}{r}
1.0\,5 \\
4\,\overline{)\,4.2\;0} \\
4 \\
\hline
2\;0 \\
2\;0 \\
\hline
0
\end{array}
$$

03
$$
\begin{array}{r}
3.0\,7 \\
2\,\overline{)\,6.1\,4} \\
6 \\
\hline
1\,4 \\
1\,4 \\
\hline
0
\end{array}
$$

04
$$
\begin{array}{r}
3.0\,5 \\
3\,\overline{)\,9.1\,5} \\
9 \\
\hline
1\,5 \\
1\,5 \\
\hline
0
\end{array}
$$

05
$$
\begin{array}{r}
1.0\,2 \\
6\,\overline{)\,6.1\,2} \\
6 \\
\hline
1\,2 \\
1\,2 \\
\hline
0
\end{array}
$$

06
$$
\begin{array}{r}
1.0\,3 \\
7\,\overline{)\,7.2\,1} \\
7 \\
\hline
2\,1 \\
2\,1 \\
\hline
0
\end{array}
$$

07
$$
\begin{array}{r}
1.0\,7 \\
4\,\overline{)\,4.2\,8} \\
4 \\
\hline
2\,8 \\
2\,8 \\
\hline
0
\end{array}
$$

08
$$
\begin{array}{r}
1.0\,2 \\
5\,\overline{)\,5.1\;0} \\
5 \\
\hline
1\,0 \\
1\,0 \\
\hline
0
\end{array}
$$

92~95쪽 3단계 익힘책 익히기

01 233, 233, 2.33

02 (1) 44.3, 4.43   (2) 22.3, 2.23

03 (1) $1.59 \div 6 = \dfrac{1590}{1000} \div 6 = \dfrac{1590 \div 6}{1000}$

$\qquad = \dfrac{265}{1000} = 0.265$

(2) $2.76 \div 8 = \dfrac{2760}{1000} \div 8 = \dfrac{2760 \div 8}{1000}$

$\qquad = \dfrac{345}{1000} = 0.345$

04 (1) 0.91   (2) 0.28   **05** 12.35, 2.47

06 (1) =   (2) <

07 (1) 2.04   (2) 12.25

08
$$
\begin{array}{r}
2.0\,8 \\
4\,\overline{)\,8.3\,2} \\
8 \\
\hline
3\,2 \\
3\,2 \\
\hline
0
\end{array}
$$

09 0.84, 0.7

10
| 3.04÷4 | (3.27÷3) | 3.92÷4 | (3.36÷3) |

11 0.175 kg   **12** 2.7 L

13 9.36÷8=1.17; 1.17 m

02 나누는 수가 같고 나누어지는 수가 자연수의 $\dfrac{1}{10}$ 배,

$\dfrac{1}{100}$ 배가 되는 경우에는 몫도 $\dfrac{1}{10}$ 배, $\dfrac{1}{100}$ 배가 됩니다.

04
(1)
$$
\begin{array}{r}
0.9\,1 \\
3\,\overline{)\,2.7\,3} \\
2\,7 \\
\hline
3 \\
3 \\
\hline
0
\end{array}
$$
(2)
$$
\begin{array}{r}
0.2\,8 \\
3\,\overline{)\,0.8\,4} \\
6 \\
\hline
2\,4 \\
2\,4 \\
\hline
0
\end{array}
$$

05
$$
\begin{array}{r}
1\,2.3\,5 \\
7\,\overline{)\,8\,6.4\,5} \\
7 \\
\hline
1\,6 \\
1\,4 \\
\hline
2\,4 \\
2\,1 \\
\hline
3\,5 \\
3\,5 \\
\hline
0
\end{array}
\qquad
\begin{array}{r}
2.4\,7 \\
5\,\overline{)\,1\,2.3\,5} \\
1\,0 \\
\hline
2\,3 \\
2\,0 \\
\hline
3\,5 \\
3\,5 \\
\hline
0
\end{array}
$$

06 (1) $4.16 \div 8 = 0.52$, $2.08 \div 4 = 0.52$

$\qquad \Rightarrow 0.52 \,(=)\, 0.52$

(2) $4.56 \div 8 = 0.57$, $2.49 \div 3 = 0.83$

$\qquad \Rightarrow 0.57 \,(<)\, 0.83$

07
(1)
$$
\begin{array}{r}
2.0\,4 \\
3\,\overline{)\,6.1\,2} \\
6 \\
\hline
1\,2 \\
1\,2 \\
\hline
0
\end{array}
$$
(2)
$$
\begin{array}{r}
1\,2.2\,5 \\
4\,\overline{)\,4\,9.0\,0} \\
4 \\
\hline
9 \\
8 \\
\hline
1\,0 \\
8 \\
\hline
2\,0 \\
2\,0 \\
\hline
0
\end{array}
$$

09
$$
\begin{array}{r}
0.8\,4 \\
5\,\overline{)\,4.2\;0} \\
4\,0 \\
\hline
2\,0 \\
2\,0 \\
\hline
0
\end{array}
\qquad
\begin{array}{r}
0.7 \\
6\,\overline{)\,4.2} \\
4\,2 \\
\hline
0
\end{array}
$$

10 3.04<4이므로 몫이 1보다 작습니다.
3.27>3이므로 몫이 1보다 큽니다.
3.92<4이므로 몫이 1보다 작습니다.
3.36>3이므로 몫이 1보다 큽니다.

11 귤 5봉지의 무게가 7 kg이므로 한 봉지의 무게는
7÷5=1.4 (kg)입니다.
한 봉지에 무게가 같은 귤이 8개씩 있으므로 귤 한
개의 무게는 1.4÷8=0.175 (kg)입니다.

12 가로가 2 m, 세로가 3 m인 직사각형 모양의 벽의
넓이는 6 m²입니다. 16.2 L로 6 m²의 벽을 칠했으
므로 1 m²의 벽을 칠하는 데 사용한 페인트의 양은
16.2÷6=2.7 (L)입니다.

13 9그루의 나무를 같은 간격으로 심으려면 9.36 m를
8로 나누어야 합니다.
⇨ 9.36÷8=1.17 (m)

96~98쪽 4단계 단원 평가

01 432, 432, 72, 7.2　　**02** 676, 676, 52, 0.52
03 (위부터) 2, 3, 17, 16, 12
04 2.08　　　　　　　**05** 1.85
06 $8.1÷6=\dfrac{810}{100}÷6=\dfrac{810÷6}{100}=\dfrac{135}{100}=1.35$
07 1.03　　　**08** 1.07　　　**09** 1.86
10 1.85　　　**11** 4.05　　　**12** ③
13 예 어림 $\boxed{30}$ ÷ $\boxed{9}$ ⇨ 약 $\boxed{3}$; 몫 3$\square$3$\square$2
14

```
     0.7 4
 5 ) 3.7 0
     3 5
       2 0
       2 0
         0
```

15 | $17.4÷4$ | $15.72÷8$ | $\boxed{19.6÷28}$ |

16 >　　　　　　　**17** 0.75, 2.25
18 15.35　　　　　　**19** 1.74
20 1.26÷9=0.14 ; 0.14

01 43.2는 소수 한 자리 수이므로 분모가 10인 분수로
고쳐서 계산합니다.

02 6.76은 소수 두 자리 수이므로 분모가 100인 분수로
고쳐서 계산합니다.

04

```
       2.0 8
 3 ) 6.2 4
     6
       2 4
       2 4
         0
```

05

```
       1.8 5
 5 ) 9.2 5
     5
       4 2
       4 0
         2 5
         2 5
           0
```

09

```
       1.8 6
 5 ) 9.3 0
     5
       4 3
       4 0
         3 0
         3 0
           0
```

10

```
       1.8 5
 4 ) 7.4 0
     4
       3 4
       3 2
         2 0
         2 0
           0
```

11

```
       4.0 5
 8 ) 3 2.4 0
     3 2
         4 0
         4 0
           0
```

12 ① 24.53÷11=2.23　　② 118.8÷9=13.2
③ 84.28÷14=6.02　　④ 36.55÷17=2.15
⑤ 38.4÷6=6.4

14 나누어지는 수가 나누는 수보다 작으므로 몫의 일의
자리에 0을 씁니다.

15 19.6÷28은 나누어지는 수가 나누는 수보다 작으므
로 몫이 1보다 작습니다.

> **다른 풀이**
> 17.4÷4=4.35, 15.72÷8=1.965,
> 19.6÷28=0.7
> ⇨ 몫이 가장 작은 나눗셈식은 19.6÷28

16 91.8÷12=7.65, 78.43÷11=7.13
⇨ 7.65>7.13

17 9÷4=2.25, 9÷12=0.75

18 (평행사변형의 넓이)=(밑변의 길이)×(높이)이므로
184.2=□×12, □=184.2÷12, □=15.35입니다.

19 (어떤 수)×8=13.92
⇨ (어떤 수)=13.92÷8=1.74

20 가장 작은 소수 두 자리 수: 1.26
남은 수 카드의 수가 9이므로 1.26÷9를 계산합니다.

```
       0. 1 4
  9 ) 1. 2 6
       9
       3 6
       3 6
           0
```

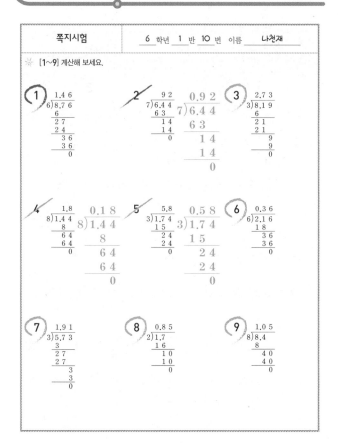

```
02      0. 9 2
    7 ) 6. 4 4
        6 3
          1 4
          1 4
              0

04      0. 1 8
    8 ) 1. 4 4
        8
          6 4
          6 4
              0

05      0. 5 8
    3 ) 1. 7 4
        1 5
          2 4
          2 4
              0
```

4. 비와 비율

1 (1) 12, 21, 24   (2) 10, 5

2 5와 9에 ×표

3 (1) $\dfrac{24}{32}=\dfrac{24÷\boxed{8}}{32÷\boxed{8}}=\dfrac{\boxed{3}}{\boxed{4}}$

(2) $\dfrac{36}{48}=\dfrac{36÷\boxed{12}}{48÷\boxed{12}}=\dfrac{\boxed{3}}{\boxed{4}}$

4 (1) $\dfrac{70}{80}, \dfrac{72}{80}$ (2) $\dfrac{35}{40}, \dfrac{36}{40}$

5 10, 11, 12   **6** 16살

7 ○=□+5 (또는 □=○−5)

---

1 (1) $\dfrac{6}{7}=\dfrac{6×2}{7×2}=\dfrac{6×3}{7×3}=\dfrac{6×4}{7×4}$

2 72와 48의 공약수가 아닌 것을 찾습니다.

3 (1) 24와 32의 최대공약수는 8입니다.
(2) 36과 48의 최대공약수는 12입니다.

6 언니는 동생보다 5살 더 많으므로 동생이 11살이면 언니는 11+5=16(살)입니다.

1 (1) 6, 8, 10   (2) 4, 8, 12, 16, 20   (3) 3

2 15, 20; 5

1 (2) 학생 수와 지점토 수의 차를 구해 비교합니다.

(3) (학생 수)÷(지점토 수)=3이므로 학생 수는 지점토 수의 3배입니다.

2 5÷1=5, 10÷2=5, 15÷3=5, 20÷4=5이므로 100원짜리 동전 수는 500원짜리 동전 수의 5배입니다.

107쪽 1단계 교과서 개념

1 3, 4   **2** 2, 6

3 6, 7, 7, 6   **4** 3, 8, 3, 8, 8, 3

5 (1) 4, 6, 4, 6   (2) 4, 6, 4, 6, 6, 4

---

3 기준이 되는 수는 7입니다.

4 기준이 되는 수는 8입니다.

5 기준이 되는 수는 6입니다.

108~109쪽 2단계 개념 집중 연습

01 (위부터) 24, 30; 12, 15

02 6, 9, 6, 9   **03** 2, 2, 2

04 (1) 4, 9 (2) 9, 4   **05** (1) 11, 5 (2) 5, 11

06 (1) 6, 7 (2) 6, 7   **07** 3, 9

08 11, 16   **09** 8, 5

10
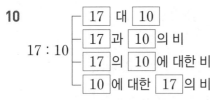
17 : 10
- 17 대 10
- 17 과 10 의 비
- 17 의 10 에 대한 비
- 10 에 대한 17 의 비

11

24 : 13
- 24 대 13
- 24 와 13 의 비
- 24 의 13 에 대한 비
- 13 에 대한 24 의 비

12 7 : 10   **13** 5 : 12

14 7 : 16   **15** 5 : 8

16 9 : 10

---

01 여학생은 6명씩 늘어나고 남학생은 3명씩 늘어납니다.

08 16이 기준이 됩니다.

10 기호 : 의 오른쪽에 있는 10이 기준이 됩니다.

11 기호 : 의 오른쪽에 있는 13이 기준이 됩니다.

12 전체 10칸, 색칠한 부분 7칸 ⇨ 7 : 10

13 전체 12칸, 색칠한 부분 5칸 ⇨ 5 : 12

14 전체 16칸, 색칠한 부분 7칸 ⇨ 7 : 16

15 전체 8칸, 색칠한 부분 5칸 ⇨ 5 : 8

16 전체 10칸, 색칠한 부분 9칸 ⇨ 9 : 10

111쪽 1단계 교과서 개념

1

비율	가	나
분수	$\frac{35}{20}\left(=\frac{7}{4}\right)$	$\frac{21}{12}\left(=\frac{7}{4}\right)$
소수	1.75	1.75

2 $\frac{6}{8}\left(=\frac{3}{4}\right)$, 0.75   **3** $\frac{5}{4}$, 1.25

---

2 <u>축구공 수</u>에 대한 <u>야구공 수</u>의 비 ⇨ 6 : 8
　　기준량　　　　비교하는 양

(축구공 수에 대한 야구공 수의 비율)=6÷8

$$=\frac{6}{8}\left(=\frac{3}{4}\right)$$

3 축구공 수에 대한 야구공 수의 비 ⇨ 5 : 4

(축구공 수에 대한 야구공 수의 비율)=5÷4=$\frac{5}{4}$

> **참고**
> 비율을 분수로 나타낼 때 $\frac{(비교하는 양)}{(기준량)}$임을 강조하여 배우는 것이므로 분수의 형태를 기약분수나 대분수로 꼭 고쳐야 하는 것은 아닙니다.

113쪽 1단계 교과서 개념

1 $\frac{\boxed{92300}}{\boxed{710}}=\boxed{130}$ **2** $\frac{\boxed{799500}}{\boxed{650}}=\boxed{1230}$

3 0.04, 0.06   **4** 승하

1 (넓이에 대한 인구의 비율)=$\dfrac{(인구)}{(넓이)}=\dfrac{92300}{710}=130$

2 (넓이에 대한 인구의 비율)=$\dfrac{(인구)}{(넓이)}=\dfrac{799500}{650}=1230$

> **참고**
> 비율을 분수로 나타낸 후 분자를 분모로 나누거나 분수를 약분하여 비율을 간단하게 나타낼 수 있습니다.

3 본혁: $\dfrac{8}{200}=\dfrac{4}{100}=0.04$,

승하: $\dfrac{15}{250}=\dfrac{3}{50}=\dfrac{6}{100}=0.06$

4 흰색 물감 양에 대한 빨간색 물감 양의 비율이 큰 것이 더 진합니다.
따라서 승하가 만든 분홍색이 더 진합니다.

114~115쪽 **2단계** 개념 집중 연습

01 5, 9, $\dfrac{5}{9}$

02 14, 15, $\dfrac{14}{15}$

03 11, 20, $\dfrac{11}{20}$

04 13, 17, $\dfrac{13}{17}$

05 $\dfrac{21}{25}$, 0.84

06 $\dfrac{15}{24}\left(=\dfrac{5}{8}\right)$, 0.625

07 $\dfrac{30}{12}\left(=\dfrac{5}{2}\right)$, 2.5

08 $\dfrac{18}{24}\left(=\dfrac{3}{4}\right)$, 0.75

09 $\dfrac{\boxed{440}}{5}=\boxed{88}$

10 $\dfrac{\boxed{400}}{5}=\boxed{80}$

11 $\dfrac{\boxed{528}}{3}=\boxed{176}$

12 $\dfrac{\boxed{352}}{4}=\boxed{88}$

13 $\dfrac{\boxed{81000}}{540}=\boxed{150}$

14 $\dfrac{\boxed{210000}}{600}=\boxed{350}$

15 $\dfrac{\boxed{80}}{250}=\boxed{0.32}$

16 $\dfrac{\boxed{25}}{100}=\boxed{0.25}$

---

05 (가로) : (세로)=21 : 25 ⇨ $\dfrac{21}{25}\left(=\dfrac{84}{100}=0.84\right)$

06 (가로) : (세로)=15 : 24 ⇨ $\dfrac{15}{24}\left(=\dfrac{5}{8}=0.625\right)$

---

07 (가로) : (세로)=30 : 12 ⇨ $\dfrac{30}{12}\left(=\dfrac{5}{2}=2.5\right)$

08 (가로) : (세로)=18 : 24 ⇨ $\dfrac{18}{24}\left(=\dfrac{3}{4}=0.75\right)$

09~12 기준량은 걸린 시간이고 비교하는 양은 간 거리입니다.

13~14 기준량은 넓이이고 비교하는 양은 인구입니다.

117쪽 **1단계** 교과서 개념

1 (1) 40 (2) 4, 16
2 75 % **3** 70 % **4** 23 %
5 40 % **6** 60, 70 **7** 바지

---

1 비율에 100을 곱하여 백분율로 나타냅니다.

2 $\dfrac{3}{4}\times100=75\,(\%)$

3 $\dfrac{7}{10}\times100=70\,(\%)$

4 $0.23\times100=23\,(\%)$

5 $0.4\times100=40\,(\%)$

7 티셔츠가 100벌이면 60벌이 판매된 것이고 바지가 100벌이면 70벌이 판매된 것이므로 바지의 판매율이 더 높습니다.

119쪽 **1단계** 교과서 개념

1 51 % **2** 48 % **3** 1 %
4 20, 20 **5** 50, 50 **6** 양말

---

1 $\dfrac{255}{500}\times100=51\,(\%)$

2 $\dfrac{240}{500}\times100=48\,(\%)$

3 $\dfrac{5}{500}\times100=1\,(\%)$

6 할인율이 더 높은 것은 50 %를 할인한 양말입니다.

120~121쪽 2단계 개념 집중 연습

01 24 %	02 37 %	03 25 %
04 80 %	05 16 %	06 36 %
07 50 %	08 20 %	09 40 %
10 50 %	11 40 %	12 15 %
13 10 %	14 28 %	15 42 %
16 55 %	17 3 %	18 10 %
19 15 %		

01 $\dfrac{24}{100} \times 100 = 24 \, (\%)$

03 $\dfrac{1}{4} \times 100 = 25 \, (\%)$

04 $\dfrac{4}{5} \times 100 = 80 \, (\%)$

05 $0.16 \times 100 = 16 \, (\%)$

06 $0.36 \times 100 = 36 \, (\%)$

07 $\dfrac{4}{8} \times 100 = 50 \, (\%)$

08 $\dfrac{5}{25} \times 100 = 20 \, (\%)$

09 $\dfrac{4}{10} \times 100 = 40 \, (\%)$

10 $\dfrac{2}{4} \times 100 = 50 \, (\%)$

11 $\dfrac{60}{150} \times 100 = 40 \, (\%)$

12 $\dfrac{60}{400} \times 100 = 15 \, (\%)$

13 $\dfrac{20}{200} \times 100 = 10 \, (\%)$

14 $\dfrac{70}{250} \times 100 = 28 \, (\%)$

15 $\dfrac{210}{500} \times 100 = 42 \, (\%)$

16 $\dfrac{275}{500} \times 100 = 55 \, (\%)$

17 $\dfrac{15}{500} \times 100 = 3 \, (\%)$

18 할인 금액이 2000원이므로 $\dfrac{2000}{20000} \times 100 = 10 \, (\%)$입니다.

다른 풀이

할인된 판매 가격이 18000원이므로

$\dfrac{18000}{20000} \times 100 = 90 \, (\%)$. 할인된 판매 가격이 원래 가격의

90 %이므로 10 % 할인한 것입니다.

⇨ 할인율은 $100 - 90 = 10$, 10 %입니다.

19 할인 금액이 750원이므로 $\dfrac{750}{5000} \times 100 = 15 \, (\%)$입니다.

다른 풀이

할인된 판매 가격이 4250원이므로

$\dfrac{4250}{5000} \times 100 = 85 \, (\%)$. 할인된 판매 가격이 원래 가격의

85 %이므로 15 % 할인한 것입니다.

⇨ 할인율은 $100 - 85 = 15$, 15 %입니다.

122~125쪽 3단계 익힘책 익히기

01

뺄셈으로 비교하기	나눗셈으로 비교하기
예 10－5＝5이므로 호두과자 수가 모둠원 수보다 5 더 많습니다.	예 10÷5＝2이므로 호두과자 수는 모둠원 수의 2배입니다.

02 30, 40, 50

03 (1) 3, 4 (2) 3, 4 (3) 3, 4

04 예

05 (위부터) 5, 8, $\dfrac{5}{8}$; 17, 10, $\dfrac{17}{10}$; 11, 16, $\dfrac{11}{16}$

06

07 (1) 12 (2) 36

08 (위부터) 64; $\dfrac{36}{100} \left(= \dfrac{9}{25} \right)$, 36; 0.96, 96

09 50, 52, 65; 3반

10 30 %

11 $\dfrac{190}{2} (=95)$, $\dfrac{270}{3} (=90)$, 빨간 버스

12 $\dfrac{8500}{5} (=1700)$, $\dfrac{6900}{3} (=2300)$; 달빛 마을

02 호두과자의 수는 모둠원 수의 2배이므로 모둠원 수가 15, 20, 25일 때 호두과자의 수는 30, 40, 50입니다.

03 그림은 티셔츠 3벌, 바지 4벌입니다.

  (1) 티셔츠 수와 바지 수의 비는 티셔츠 수 3벌을 바지 수 4벌을 기준으로 하여 비교한 비이므로 3 : 4입니다.

  (2) 바지 수에 대한 티셔츠 수의 비는 티셔츠 수 3벌을 바지 수 4벌을 기준으로 하여 비교한 비이므로 3 : 4입니다.

  (3) 티셔츠 수의 바지 수에 대한 비는 티셔츠 수 3벌을 바지 수 4벌을 기준으로 하여 비교한 비이므로 3 : 4입니다.

04 전체 8칸 중 3칸을 색칠합니다.

> **주의**
> 어떤 칸을 칠하던지 3칸에만 칠하면 됩니다.

05 • 비 5 : 8에서 기호 : 의 왼쪽에 있는 5는 비교하는 양이고 오른쪽에 있는 8은 기준량입니다.

    ⇨ 비율은 $\dfrac{5}{8}$

  • 17과 10의 비는 17 : 10이고 비교하는 양은 17, 기준량은 10입니다. ⇨ 비율은 $\dfrac{17}{10}$

  • 16에 대한 11의 비는 11 : 16이고 비교하는 양은 11, 기준량은 16입니다. ⇨ 비율은 $\dfrac{11}{16}$

06 21 : 15의 비율을 구하면 $\dfrac{21}{15}\left(=\dfrac{7}{5}=1.4\right)$입니다.

5에 대한 4의 비는 4 : 5이므로 비율은 $\dfrac{4}{5}(=0.8)$입니다.

8의 5에 대한 비는 8 : 5이므로 비율은 $\dfrac{8}{5}(=1.6)$입니다.

07 (1) 전체 100칸 중 색칠한 부분은 12칸이므로 $\dfrac{12}{100}\times100=12$ (%)입니다.

  (2) 전체 50칸 중 색칠한 부분은 18칸이므로 $\dfrac{18}{50}\times100=36$ (%)입니다.

08 비율 $\dfrac{64}{100}$를 백분율로 나타내면 $\dfrac{64}{100}\times100=64$ (%)입니다. 또는 $0.64\times100=64$ (%)로 구할 수 있습니다.

비율 0.36을 분수로 나타내면 $\dfrac{36}{100}\left(=\dfrac{9}{25}\right)$이고 백분율로 나타내면 $0.36\times100=36$ (%)입니다.

비율 $\dfrac{24}{25}$를 소수로 나타내면

$\dfrac{24}{25}=\dfrac{24\times4}{25\times4}=\dfrac{96}{100}=0.96$이고

백분율로 나타내면 $0.96\times100=96$ (%)입니다.

09 1반의 찬성률: $\dfrac{12}{24}\times100=50$ (%),

2반의 찬성률: $\dfrac{13}{25}\times100=52$ (%),

3반의 찬성률: $\dfrac{13}{20}\times100=65$ (%)이므로

3반의 찬성률이 가장 높습니다.

10 $15000-10500=4500$(원)이므로 민수는 4500원을 할인받았습니다.

$\dfrac{4500}{15000}\times100=30$ (%)이므로 민수는 입장료를 30 % 할인받은 것입니다.

11 각 버스의 걸린 시간에 대한 달린 거리의 비율을 구합니다.

빨간 버스: $\dfrac{190}{2}(=95)$, 파란 버스: $\dfrac{270}{3}(=90)$

⇨ 빨간 버스가 더 빠릅니다.

12 햇빛 마을의 넓이에 대한 인구의 비율:

$\dfrac{8500}{5}(=1700)$

달빛 마을의 넓이에 대한 인구의 비율:

$\dfrac{6900}{3}(=2300)$

⇨ 두 마을 중 인구가 더 밀집한 곳은 달빛 마을입니다.

정답 및 풀이

126~128쪽 **4단계 단원 평가**

01 4 **02** 5, 3 **03** 6, 9

04 12, 15 **05** ② **06** 7, 8

07

08 52 %

09 (위부터) $\frac{7}{25}$, $\frac{9}{5}$; 0.28, 1.8; 28 %, 180 %

10 13 : 20

11 틀립니다에 ○표; 예 9 : 7은 기준이 7이지만 7 : 9는 기준이 9이기 때문입니다.

12 0.6 **13** 80 %, 85 % **14** $\frac{360}{4}$ (=90)

15 360 : 800 **16** 45 % **17** 3 %

18 진희네 마을 **19** 20 % **20** 명인

---

01 8−4=4이므로 검은색 바둑돌은 흰색 바둑돌보다 4개 더 많습니다.

04 12 : 15에서 15가 기준이 됩니다.

05 ② 5에 대한 9의 비 ⇨ 9 : 5

06 전체를 똑같이 8로 나눈 것 중의 색칠한 부분은 7이므로 전체에 대한 색칠한 부분의 비는 7 : 8입니다.

07 4 : 16 ⇨ $\frac{4}{16}=\frac{1}{4}=0.25$, 5 : 25 ⇨ $\frac{5}{25}=\frac{1}{5}=0.2$, 6 : 12 ⇨ $\frac{6}{12}=\frac{1}{2}=0.5$

08 $\frac{13}{25}\times100=52$ (%)

09 7 : 25 ⇨ $\frac{7}{25}=0.28$ ⇨ $0.28\times100=28$ (%)

9 : 5 ⇨ $\frac{9}{5}=1.8$ ⇨ $1.8\times100=180$ (%)

10 여자는 20−7=13(명)입니다. 기준량이 전체 자원봉사자 수이므로 전체 자원봉사자 수에 대한 여자 자원봉사자 수의 비는 13 : 20입니다.

12 연필 수에 대한 지우개 수의 비는 9 : 15이므로 (비율)=$\frac{9}{15}=\frac{3}{5}=0.6$입니다.

13 호준: $\frac{20}{25}\times100=80$ (%)

주하: $\frac{17}{20}\times100=85$ (%)

14 (간 거리) : (걸린 시간)=360 : 4이므로 비율은 $\frac{360}{4}$(=90)입니다.

15 (완주한 선수) : (참가한 선수)=360 : 800

16 (비율)=$\frac{360}{800}=\frac{9}{20}$

(백분율)=$\frac{9}{20}\times100=45$ (%)

17 $\frac{15}{500}\times100=3$ (%)

18 현수네 마을의 넓이에 대한 인구의 비율:

$\frac{46500}{3}$(=15500)

진희네 마을의 넓이에 대한 인구의 비율:

$\frac{32000}{2}$(=16000)

⇨ 인구가 더 밀집한 곳은 진희네 마을입니다.

19 18000−14400=3600(원)이므로 정아는 3600원을 할인받았습니다.

$\frac{3600}{18000}\times100=20$ (%)이므로 정아는 입장료를 20 % 할인받았습니다.

20 명인이는 설탕 40 g을 녹여 설탕물 160 g을 만들었으므로 설탕물 양에 대한 설탕 양의 비율은

$\frac{40}{160}\left(=\frac{1}{4}=0.25\right)$입니다.

민서는 설탕 60 g을 녹여 설탕물 300 g을 만들었으므로 설탕물 양에 대한 설탕 양의 비율은

$\frac{60}{300}\left(=\frac{1}{5}=0.2\right)$입니다.

따라서 명인이가 만든 설탕물이 더 진합니다.

129쪽 **스스로 학습장**

1 ○ **2** × **3** ×

4 ○ **5** ○ **6** ○

7 × **8** × **9** ○

---

7 $\frac{1}{2}=0.5$ ⇨ $0.5\times100=50$ (%)

8 $\frac{8}{20}=\frac{40}{100}=0.4$

5. 여러 가지 그래프

132~133쪽   준비 학습

1 36개

2 13칸

3

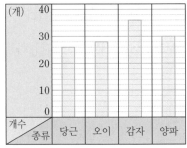

채소의 종류별 개수

4 오후 3시

5 오전 9시와 낮 12시 사이

6

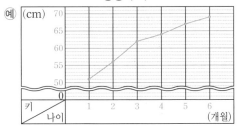

동생의 키

---

1 $120-(26+28+30)=120-84=36$(개)

2 세로 눈금 1칸이 2개를 나타내므로 당근 26개는 13 칸으로 나타냅니다.

3 당근은 13칸, 오이는 14칸, 감자는 18칸, 양파는 15 칸을 그립니다.

5 선이 가장 많이 기울어진 때는 오전 9시와 낮 12시 사이입니다.

135쪽   1단계 교과서 개념

1 1000상자, 100상자

2

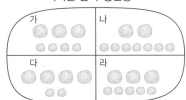

지역별 감자 생산량

3 다   **4** 나

---

3 감자를 가장 많이 생산한 지역은 큰 감자 그림의 수가 가장 많은 다 지역이고 4200상자입니다.

4 감자를 가장 적게 생산한 지역은 큰 감자 그림의 수가 가장 적은 나 지역이고 2700상자입니다.

137쪽   1단계 교과서 개념

1 200명

2 45, 30, 15, 10, 100

3 예 수영을 좋아하는 학생이 가장 적습니다.

4 예 전체에 대한 각 부분의 비율을 한눈에 알아볼 수 있습니다.

---

2 농구: $\dfrac{90}{200} \times 100 = 45$ (%),

축구: $\dfrac{60}{200} \times 100 = 30$ (%),

야구: $\dfrac{30}{200} \times 100 = 15$ (%),

수영: $\dfrac{20}{200} \times 100 = 10$ (%)

4 띠그래프는 비율을 이용하여 나타낸 그래프이므로 전체에 대한 각 부분의 비율을 한눈에 알 수 있습니다.

139쪽 | 1단계 교과서 개념

1 45, 35, 10, 10, 100;

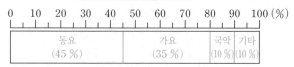

좋아하는 음악별 학생 수

| 0 10 20 30 40 50 60 70 80 90 100 (%) |
| 동요 (45 %) | 가요 (35 %) | 국악 (10 %) | 기타 (10 %) |

2 40, 30, 15, 10, 5, 100;

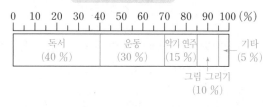

취미 생활별 학생 수

| 0 10 20 30 40 50 60 70 80 90 100 (%) |
| 독서 (40 %) | 운동 (30 %) | 악기 연주 (15 %) | 기타 (5 %) |
그림 그리기 (10 %)

---

1 작은 눈금 1칸은 5 %임을 이용해 띠를 나눕니다.
동요는 9칸, 가요는 7칸, 국악과 기타는 각각 2칸씩 나눕니다.

140~141쪽 | 2단계 개념 집중 연습

01 지역별 버섯 생산량

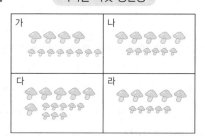

| 가 | 나 |
| 다 | 라 |

02 다   **03** 200 kg
04 띠그래프   **05** 25명
06 40 %   **07** 20 %
08 40, 20, 30, 10, 100

09 장래 희망별 학생 수

| 0 10 20 30 40 50 60 70 80 90 100 (%) |
| 연예인 (40 %) | 선생님 (20 %) | 운동 선수 (30 %) | 기타 (10 %) |

10 혈액형별 학생 수

| 0 10 20 30 40 50 60 70 80 90 100 (%) |
| A형 (40 %) | B형 (25 %) | O형 (20 %) | AB형 (15 %) |

---

11 (위부터) 50, 40, 20, 10, 200; 40, 25, 20, 10, 5, 100

12 가고 싶어 하는 나라별 학생 수

| 0 10 20 30 40 50 60 70 80 90 100 (%) |
| 영국 (40 %) | 중국 (25 %) | 독일 (20 %) | 미국 (10 %) | 기타 (5 %) |

13 50, 25, 15, 10, 100;

빌린 책의 종류별 권수

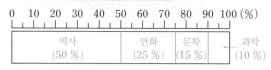

| 0 10 20 30 40 50 60 70 80 90 100 (%) |
| 역사 (50 %) | 만화 (25 %) | 문학 (15 %) | 과학 (10 %) |

---

03 버섯을 가장 많이 생산한 지역은 다 지역(680 kg)이고 가장 적게 생산한 지역은 가 지역(480 kg)입니다.
➡ $680 - 480 = 200$ (kg)

04 전체 학생 수에 대한 좋아하는 색의 학생 수의 비율을 띠 모양에 나타낸 것이므로 띠그래프입니다.

05 표에서 합계를 알아보면 25명이므로 조사한 학생은 모두 25명입니다.

06 $\frac{10}{25} \times 100 = 40$ (%)

07 $\frac{5}{25} \times 100 = 20$ (%)

08 연예인: $\frac{100}{250} \times 100 = 40$ (%),

선생님: $\frac{50}{250} \times 100 = 20$ (%),

운동 선수: $\frac{75}{250} \times 100 = 30$ (%),

기타: $\frac{25}{250} \times 100 = 10$ (%)

09 왼쪽부터 연예인 40 %, 선생님 20 %, 운동 선수 30 %, 기타 10 %가 되도록 띠를 나눈 후, 각 항목의 내용과 백분율을 써넣습니다.

10 0부터 오른쪽으로 차례대로 띠를 나눕니다.

11 (조사한 전체 학생 수)
$= 80 + 50 + 40 + 20 + 10 = 200$(명)
➡ 영국: $\frac{80}{200} \times 100 = 40$ (%),

중국: $\frac{50}{200} \times 100 = 25$ (%),

독일: $\dfrac{40}{200} \times 100 = 20$ (%),

미국: $\dfrac{20}{200} \times 100 = 10$ (%),

기타: $\dfrac{10}{200} \times 100 = 5$ (%)

12 왼쪽부터 영국 40 %, 중국 25 %, 독일 20 %, 미국 10 %, 기타 5 %가 되도록 띠를 나눈 후, 각 항목의 내용과 백분율을 써넣습니다.

13 0부터 오른쪽으로 차례대로 띠를 나눕니다.

143쪽 **1 단계** 교과서 **개념**

1 원그래프　　　　**2** 40명

3 30 %　　　　　**4** 주스

5 예 전체에 대한 각 항목끼리의 비율을 쉽게 비교할 수 있습니다.

---

3 원그래프에서 보리차를 찾아 백분율을 알아보면 30 %입니다.

145쪽 **1 단계** 교과서 **개념**

1 45, 25, 15, 15, 100;

(1) 45　(2) 100, 25　(3) 100, 15　(4) 100, 15

2 방학 때 가고 싶은 장소별 학생 수

---

1 (백분율의 합계)=45+25+15+15=100 (%)

2 작은 눈금 1칸이 5 %이므로 워터파크는 45÷5=9(칸), 캠핑장은 25÷5=5(칸), 놀이공원 과 미술관은 각각 눈금 15÷5=3(칸)이 되도록 나 눕니다.

146~147쪽 **2 단계** 개념 **집중 연습**

01 영화 감상　　　**02** 컴퓨터 게임

03 30 %　　　　　**04** 3배

05 16, 24, 20, 28, 12, 100;

(1) 16　(2) 24　(3) 5, 20　(4) 7, 28　(5) 3, 12

06 좋아하는 문화재별 학생 수

07 40, 25, 20, 15, 100;

08 35, 30, 20, 15, 100;

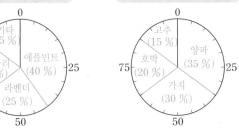

09 30, 25, 35, 10, 100;

10 40, 10, 30, 20, 100;

---

01 원그래프에서 30 %를 찾아보면 영화 감상입니다.

02 원그래프에서 가장 넓은 부분을 찾아보면 컴퓨터 게 임입니다.

03 운동은 전체 학생의 20 %이고, 독서는 전체 학생의 10 %이므로 운동이나 독서를 취미 생활로 하는 학생의 비율은 전체 학생의 20+10=30이므로 30 %입니다.

04 영화 감상이 취미인 학생 수는 30 %, 독서가 취미인 학생 수는 10 %입니다. ⇨ 30÷10=3(배)

07 애플민트: $\dfrac{16}{40} \times 100 = 40$ (%),

라벤더: $\frac{10}{40} \times 100 = 25$ (%),

로즈마리: $\frac{8}{40} \times 100 = 20$ (%),

기타: $\frac{6}{40} \times 100 = 15$ (%)

09 김밥: $\frac{18}{60} \times 100 = 30$ (%), 피자: $\frac{15}{60} \times 100 = 25$ (%),

떡볶이: $\frac{21}{60} \times 100 = 35$ (%), 만두: $\frac{6}{60} \times 100 = 10$ (%)

> **참고**
> 원그래프를 그릴 때 0부터 시계 방향으로 차례대로 원을
> 나눕니다.

149쪽 · 1단계 교과서 개념

1 25 % **2** 7배 **3** 예 체육, 음악

4 봄, 겨울 **5** 3배

1 원그래프에서 국어를 찾아 백분율을 알아보면 25 % 입니다.

2 $35 \div 5 = 7$(배)

4 비율이 30 % 미만인 계절은 봄(10 %), 겨울(15 %) 입니다.

5 $45 \div 15 = 3$(배)

151쪽 · 1단계 교과서 개념

1 ① 원그래프, ② 띠그래프, ③ 막대그래프

2 예 각 항목끼리의 비율을 쉽게 비교할 수 있습니다.

3 예 빨간색을 좋아하는 학생이 가장 많습니다.

152~153쪽 · 2단계 개념 집중 연습

01 58 % **02** 최고야 **03** 6배

04 예 네가 있어서 행복해, 멋져 등 **05** 5 %

06 40 % **07** 겨울 **08** 2배

09 2.25배 **10** 4명

11 예 휴대 전화를 받고 싶은 학생 수가 가장 많습니다.

12 막대그래프, 띠그래프

13 예 여름의 강수량이 가장 많습니다.

예 여름 강수량은 겨울 강수량의 약 4배입니다.

02 원그래프에서 10 %인 것을 찾으면 최고야입니다.

03 최고야를 선택한 학생은 전체 학생의 10 %, 사랑해 를 선택한 학생은 전체 학생의 58 %이므로 약 6배 입니다.

05 띠그래프에서 작은 눈금 한 칸의 크기는 $10 \div 2 = 5$ (%)입니다.

06 띠그래프에서 여름을 찾아보면 40 %입니다.

07 띠의 길이가 가장 짧은 계절을 알아보면 겨울입니다.

08 여름을 좋아하는 학생은 전체 학생의 40 %이고 가 을을 좋아하는 학생은 전체 학생의 20 %이므로 여 름을 좋아하는 학생 수는 가을을 좋아하는 학생 수의 $40 \div 20 = 2$(배)입니다.

09 $45 \div 20 = 2.25$(배)

10 책을 받고 싶은 학생 수는 기타를 선택한 학생 수의 2배입니다. ⇨ $8 \div 2 = 4$(명)

154~157쪽 · 3단계 익힘책 익히기

01

동	배출량
A	병류 배출량 그림
B	
C	
D	
E	

02 30

03

학년별 학생 수

원그래프: 1학년 (10 %), 2학년 (15 %), 3학년 (10 %), 4학년 (15 %), 5학년 (20 %), 6학년 (30 %)

04 30, 50, 10, 10, 100   **05** 100 %

06

친해지고 싶은 친구 유형별 학생 수

0 10 20 30 40 50 60 70 80 90 100 (%)
운동을 잘하는 친구 (30 %) / 재미있는 친구 (50 %) / 착한 친구 (10 %) / 기타 (10 %)

07 놀이공원   **08** 4배

09 700, 30

10

재활용품별 배출량

0 10 20 30 40 50 60 70 80 90 100 (%)
플라스틱류 (35 %) / 병류 (25 %) / 종이류 (30 %) / 비닐류 (10 %)

11

재활용품별 배출량

12 2배   **13** 30명

14 A형   **15** 2배

16 예 AB형이 가장 적습니다.

---

12 백합을 좋아하는 학생은 전체 학생의 20 %이고, 개나리를 좋아하는 학생은 전체 학생의 10 %이므로 백합을 좋아하는 학생 수는 개나리를 좋아하는 학생 수의 20÷10＝2(배)입니다.

13 백합을 좋아하는 학생 수는 개나리를 좋아하는 학생 수의 2배입니다.
⇨ 60÷2＝30(명)

14 A형이 43 %로 가장 많습니다.

> **참고**
> 가장 많은 혈액형은 원그래프에서 가장 넓은 부분을 차지합니다.

15 30÷15＝2(배)

16 B형은 O형의 2배인 것도 알 수 있습니다.
A형이 가장 많고 B형이 두 번째로 많습니다.

158~160쪽 **4 단계** 단원 평가

01 30, 20, 40, 10, 100

02

좋아하는 반찬별 학생 수

0 10 20 30 40 50 60 70 80 90 100 (%)
장조림 (30 %) / 김치 (20 %) / 달걀찜 (40 %) / 콩자반 (10 %)

03 띠그래프   **04** 15 %

05 포도   **06** 귤   **07** 60명

08 (위부터) 18, 12, 21, 9, 60; 30, 20, 35, 15, 100

09

가축별 수

0 10 20 30 40 50 60 70 80 90 100 (%)
염소 (30 %) / 소 (20 %) / 닭 (35 %) / 토끼 (15 %)

10
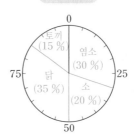
가축별 수

11 지리산   **12** 한라산   **13** 40 %

14 예 백분율이 커지면 학생 수가 많아집니다.

15

우유의 종류별 학생 수

16 8 %   **17** 28 kg

18 2배   **19** 38.5 %

20
안전한 학교 생활 수칙

수칙	학생 수
위험한 곳에 가지 않기	☺☺☺☺☺☺
경기 규칙 잘 지키기	☺☺☺☺
놀이 기구의 바른 사용법 익히기	☺☺☺☺
친구와 장난치지 않기	☺☺☺☺☺
기타	☺☺☺

01 장조림: $\dfrac{9}{30} \times 100 = 30$ (%),

김치: $\dfrac{6}{30} \times 100 = 20$ (%),

달걀찜: $\dfrac{12}{30} \times 100 = 40$ (%),

콩자반: $\dfrac{3}{30} \times 100 = 10$ (%)

02 0부터 오른쪽으로 차례대로 나눕니다.

03 띠그래프는 백분율을 나타낸 그래프이므로 각 항목 끼리의 비율을 쉽게 비교할 수 있습니다.

04 띠그래프에서 수박을 찾아보면 15 %입니다.

05 사과를 좋아하는 학생은 전체 학생의 20 %이므로 다른 과일 중에서 전체 학생의 20 %가 좋아하는 과 일을 찾아보면 포도입니다.

06 띠의 길이가 가장 긴 과일을 알아보면 귤입니다.

07 귤을 좋아하는 학생은 수박을 좋아하는 학생의 2배 이므로 30×2=60(명)입니다.

08 (합계)=18+12+21+9=60(마리)

염소: $\dfrac{18}{60} \times 100 = 30$ (%),

소: $\dfrac{12}{60} \times 100 = 20$ (%),

닭: $\dfrac{21}{60} \times 100 = 35$ (%),

토끼: $\dfrac{9}{60} \times 100 = 15$ (%)

10 0부터 시계 방향으로 차례대로 원을 나눕니다.

11 원그래프에서 25 %를 찾아보면 지리산입니다.

12 비율이 높은 산부터 차례대로 쓰면
한라산(30 %), 지리산(25 %), 설악산(20 %),
치악산(15 %), 팔공산(10 %)입니다.

13 지리산에 가고 싶어 하는 학생은 전체 학생의 25 % 이고 치악산에 가고 싶어 하는 학생은 전체 학생의 15 %입니다. ⇨ 25+15=40이므로 40 %입니다.

16 백분율의 합계는 100 %입니다. 100−60−20−5−7=8 이므로 일반 쓰레기가 차지하는 비율은 8 %입니다.

17 플라스틱의 무게는 병·캔의 무게의 4배이므로 7×4=28 (kg)입니다.

---

1 20, 30, 25, 15, 10, 100;

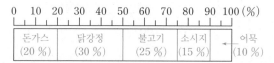
좋아하는 급식 메뉴별 학생 수

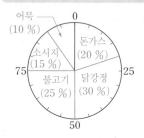
좋아하는 급식 메뉴별 학생 수

2 20, 10, 40, 10, 20, 100;

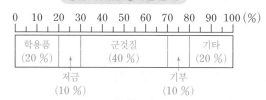
용돈의 지출 항목별 금액

용돈의 지출 항목별 금액

---

2 학용품: $\dfrac{6000}{30000} \times 100 = 20$ (%),

저금: $\dfrac{3000}{30000} \times 100 = 10$ (%),

군것질: $\dfrac{12000}{30000} \times 100 = 40$ (%),

기부: $\dfrac{3000}{30000} \times 100 = 10$ (%)

기타: $\dfrac{6000}{30000} \times 100 = 20$ (%)

작은 눈금 1칸이 5 %이므로 학용품은 4칸, 저금은 2칸, 군것질은 8칸, 기부는 2칸, 기타는 4칸이 되도 록 나눕니다.

6. 직육면체의 부피와 겉넓이

164~165쪽   준비 학습

1 (1) $24 \, cm^2$ (2) $27 \, cm^2$ **2** (1) $84 \, cm^2$ (2) $99 \, cm^2$
3 16 **4** 7.2 **5** $146 \, cm^2$
6 112 cm **7** 사각기둥, 6, 12, 8

---

1 (1) (평행사변형의 넓이)$=4\times6=24 \, (cm^2)$
　(2) (평행사변형의 넓이)$=3\times9=27 \, (cm^2)$

2 (1) (사다리꼴의 넓이)$=(8+13)\times8\div2=84 \, (cm^2)$
　(2) (사다리꼴의 넓이)$=(15+18)\times6\div2=99 \, (cm^2)$

3 $12\times\square\div2=96$, $12\times\square=192$, $\square=192\div12$,
　$\square=16$

4 (삼각형의 넓이)$=12\times9\div2=54 \, (cm^2)$
　밑변의 길이가 15 cm, 높이가 $\square$ cm인 경우에도 넓이는 $54 \, cm^2$입니다. $\Rightarrow 15\times\square\div2=54$,
　$15\times\square=108$, $\square=108\div15$, $\square=7.2$

5 사다리꼴의 넓이에서 삼각형의 넓이를 빼서 구합니다.
　$(17+21)\times11\div2=209 \, (cm^2)$
　밑변의 길이가 21 cm, 높이가 6 cm인 삼각형의 넓이는
　$21\times6\div2=63 \, (cm^2)$입니다.
　$\Rightarrow 209-63=146 \, (cm^2)$

6 $13\times4+7\times4+8\times4=112 \, (cm)$

167쪽   1단계 교과서 개념

1 30개 **2** 36개
3 나 **4** 나

---

1 한 층에 $2\times5=10$(개)씩 3층이므로 $10\times3=30$(개)를 담을 수 있습니다.

2 한 층에 $3\times3=9$(개)씩 4층이므로 $9\times4=36$(개)를 담을 수 있습니다.

3 $30<36$이므로 나에 쌓기나무를 더 많이 담을 수 있습니다.

4 쌓기나무를 더 많이 담을 수 있는 나가 부피가 더 큽니다.

169쪽   1단계 교과서 개념

1 3, 60 **2** 4, 3, 36 **3** $45 \, cm^3$
4 $56 \, cm^3$ **5** $36 \, cm^3$ **6** $75 \, cm^3$

---

1 쌓기나무의 수: 한 층에 15개씩 4층이므로 60개
　$\Rightarrow 1 \, cm^3$가 60개 있으므로 부피는 $60 \, cm^3$입니다.

2 쌓기나무의 수: 한 층에 12개씩 3층이므로 36개
　$\Rightarrow 1 \, cm^3$가 36개 있으므로 부피는 $36 \, cm^3$입니다.

3 (부피)$=5\times3\times3=45 \, (cm^3)$

4 (부피)$=7\times2\times4=56 \, (cm^3)$

5 (부피)$=3\times3\times4=36 \, (cm^3)$

6 (부피)$=5\times3\times5=75 \, (cm^3)$

171쪽   1단계 교과서 개념

1 한 모서리의 길이, 한 모서리의 길이
2 3, 3, 3, 27 **3** $216 \, cm^3$ **4** $125 \, cm^3$
5 $512 \, cm^3$ **6** $729 \, cm^3$

---

3 (부피)$=6\times6\times6=216 \, (cm^3)$

4 (부피)$=5\times5\times5=125 \, (cm^3)$

5 (부피)$=8\times8\times8=512 \, (cm^3)$

6 (부피)$=9\times9\times9=729 \, (cm^3)$

172~173쪽 **2단계** 개념 **집중 연습**

01 나   **02** 다, 가, 나   **03** 36, 36

04 18, 18   **05** 240 cm³   **06** 60 cm³

07 168 cm³   **08** 168 cm³   **09** 378 cm³

10 280 cm³   **11** 8000 cm³   **12** 1000 cm³

13 300 cm³   **14** 315 cm³   **15** 343 cm³

16 540 cm³

---

02 부피가 큰 것부터 차례대로 쓰면 다, 가, 나입니다.

03 쌓기나무의 수: $4 \times 3 \times 3 = 12 \times 3 = 36$(개)
     ⇨ 부피: 36 cm³

04 쌓기나무의 수: $3 \times 3 \times 2 = 9 \times 2 = 18$(개)
     ⇨ 부피: 18 cm³

05 (부피)$=6 \times 5 \times 8 = 30 \times 8 = 240$ (cm³)

06 (부피)$=5 \times 3 \times 4 = 60$ (cm³)

07 (부피)$=8 \times 7 \times 3 = 168$ (cm³)

08 (부피)$=7 \times 4 \times 6 = 168$ (cm³)

09 (부피)$=9 \times 6 \times 7 = 378$ (cm³)

10 (부피)$=10 \times 7 \times 4 = 280$ (cm³)

11 (부피)$=20 \times 20 \times 20 = 8000$ (cm³)

12 (부피)$=10 \times 10 \times 10 = 1000$ (cm³)

13 (부피)$=10 \times 15 \times 2 = 300$ (cm³)

14 (부피)$=5 \times 9 \times 7 = 315$ (cm³)

15 (부피)$=7 \times 7 \times 7 = 343$ (cm³)

16 (부피)$=9 \times 12 \times 5 = 540$ (cm³)

175쪽 **1단계** 교과서 **개념**

1 ⑴ 1, 1, 1   ⑵ 100, 100, 1000000   ⑶ 1000000

2 3000000   **3** 7000000

4 9   **5** 120 m³   **6** 216 m³

---

2 $1 \text{ m}^3 = 1000000 \text{ cm}^3 \Rightarrow 3 \text{ m}^3 = 3000000 \text{ cm}^3$

4 $1000000 \text{ cm}^3 = 1 \text{ m}^3 \Rightarrow 9000000 \text{ cm}^3 = 9 \text{ m}^3$

5 800 cm=8 m, 300 cm=3 m, 500 cm=5 m입니다. $\Rightarrow 8 \times 3 \times 5 = 120$ (m³)

6 $6 \times 6 \times 6 = 216$ (m³)

177쪽 **1단계** 교과서 **개념**

1 ⑴ 18, 30, 15, 18, 30, 15, 126   ⑵ 5, 2, 126

2 166 cm²   **3** 180 cm²

4 288 cm²   **5** 130 cm²

---

1 ⑴ $3 \times 6 + 5 \times 6 + 3 \times 5 + 3 \times 6 + 5 \times 6 + 3 \times 5$
     $= 126$ (cm²)

> **주의**
> 여섯 면의 넓이를 더하는 순서가 달라도 18, 30, 15를 두 번씩 더하면 맞습니다.

2 (겉넓이)$=(7 \times 5 + 7 \times 4 + 5 \times 4) \times 2 = 83 \times 2$
                  $= 166$ (cm²)

3 (겉넓이)$=(8 \times 6 + 8 \times 3 + 6 \times 3) \times 2 = 90 \times 2$
                  $= 180$ (cm²)

4 (겉넓이)$=(6 \times 6 + 6 \times 9 + 6 \times 9) \times 2 = 144 \times 2$
                  $= 288$ (cm²)

5 (겉넓이)$=(4 \times 5 + 4 \times 5 + 5 \times 5) \times 2 = 65 \times 2$
                  $= 130$ (cm²)

179쪽 **1단계** 교과서 **개념**

1 6, 54   **2** 150 cm²

3 96 cm²   **4** 216 cm²

5 486 cm²

---

1 (겉넓이)$=3 \times 3 \times 6 = 54$ (cm²)

2 (겉넓이)$=5 \times 5 \times 6 = 150$ (cm²)

3 (겉넓이)$=4 \times 4 \times 6 = 96$ (cm²)

4 (겉넓이)$=6 \times 6 \times 6 = 216$ (cm²)

5 (겉넓이)$=9 \times 9 \times 6 = 486$ (cm²)

180~181쪽 2단계 개념 집중 연습

01 9000000 **02** 1500000 **03** 7

04 2.4 **05** 3.6 **06** 5.8

07 (1) $\boxed{8} + \boxed{12} + \boxed{6} + \boxed{8} + \boxed{12} + \boxed{6} = \boxed{52}$ (cm²)

(2) 8, 52

08 (1) $\boxed{40} + \boxed{56} + \boxed{35} + \boxed{40} + \boxed{56} + \boxed{35}$

$= \boxed{262}$ (cm²)

(2) 40, 56, 35, 262

09 12, 12, 6, 864 **10** 7, 7, 6, 294

11 8, 8, 6, 384 **12** 102 cm²

13 136 cm² **14** 72 cm² **15** 94 cm²

---

01 $1\,m^3 = 1000000\,cm^3$

03 $1000000\,cm^3 = 1\,m^3$

07 (1) 주의

더하는 순서가 바뀌어도 8, 12, 6을 두 번씩 더하면 맞습니다.

(2) $(4 \times 2 + 3 \times 4 + 2 \times 3) \times 2 = 26 \times 2 = 52$ (cm²)

08 (1) 주의

더하는 순서가 바뀌어도 35, 40, 56을 두 번씩 더하면 맞습니다.

(2) $(5 \times 8 + 7 \times 8 + 5 \times 7) \times 2 = 131 \times 2 = 262$ (cm²)

09 $12 \times 12 \times 6 = 144 \times 6 = 864$ (cm²)

12 $(3 \times 7 + 3 \times 7 + 3 \times 3) \times 2 = 51 \times 2 = 102$ (cm²)

13 $(4 \times 8 + 3 \times 8 + 4 \times 3) \times 2 = 68 \times 2 = 136$ (cm²)

14 $(6 \times 3 + 2 \times 3 + 6 \times 2) \times 2 = 36 \times 2 = 72$ (cm²)

15 $(5 \times 4 + 5 \times 3 + 4 \times 3) \times 2 = 47 \times 2 = 94$ (cm²)

182~185쪽 3단계 익힘책 익히기

01 $1\,cm^3$, 1 세제곱센티미터 **02** 6 cm³

03 (1) 가: 18개, 나: 27개, 다: 16개 (2) 나

04 $3 \times 7 \times 10 = 210$; 210 cm³ **05** 5 cm

06 9 **07** 2 cm

08 (1) 가로: 1.5 m, 세로: 1.2 m, 높이: 3 m (2) 5.4 m³

09 (1) 5000000 (2) 8 (3) 1200000 (4) 5.4

10 14, 7, 2, 5, 118

11 $7 \times 7 \times 6 = 294$; 294 cm²

12 10, 10 **13** 희준, 18

---

02 가는 $1\,cm^3$인 쌓기나무가 $6 \times 3 \times 3 = 54$(개), 나는 $1\,cm^3$인 쌓기나무가 $4 \times 4 \times 3 = 48$(개)이므로 가는 나보다 부피가 $54 - 48 = 6$ (cm³) 더 큽니다.

03 과자 상자를 가 포장 상자에는 $6 \times 3 = 18$(개), 나 포장 상자에는 $9 \times 3 = 27$(개), 다 포장 상자에는 $4 \times 4 = 16$(개) 담을 수 있으므로 부피가 가장 큰 것은 나 포장 상자입니다.

04 (상자의 부피) = (가로) × (세로) × (높이)

$= 3 \times 7 \times 10$

$= 210$ (cm³)

05 $6 \times 8 \times \square = 240$, $48 \times \square = 240$, $\square = 240 \div 48$, $\square = 5$

06 오른쪽 직육면체의 부피는 $12 \times 3 \times 8 = 288$ (cm³)이므로 왼쪽 직육면체의 가로는 $288 \div 32 = 9$ (cm)입니다.

07 작은 정육면체의 수는 $4 \times 4 \times 4 = 64$(개)입니다. 쌓은 정육면체 모양의 부피가 512 cm³이므로 작은 정육면체 한 개의 부피는 $512 \div 64 = 8$ (cm³)입니다. $2 \times 2 \times 2 = 8$이므로 작은 정육면체의 한 모서리의 길이는 2 cm입니다.

08 (2) (부피) $= 1.5 \times 1.2 \times 3 = 5.4$ (m³)

09 $1\,m^3 = 1000000\,cm^3$

11 정육면체의 겉넓이는 여섯 면의 넓이가 모두 같으므로 한 면의 넓이의 6배를 해서 구할 수 있습니다.

12 $(8 \times 4 + 4 \times \square + 8 \times \square) \times 2 = 304$,

$32 + 4 \times \square + 8 \times \square = 152$, $12 \times \square = 120$, $\square = 10$

13 (희준이가 만든 상자의 겉넓이)

$= (5 \times 4 + 5 \times 9 + 4 \times 9) \times 2 = 202$ (cm²)

(윤경이가 만든 상자의 겉넓이)

$= (6 \times 2 + 2 \times 10 + 6 \times 10) \times 2 = 184$ (cm²)

⇨ $202 - 184 = 18$ (cm²)

01 3, 30
02 27 cm³
03 5000000
04 4.2
05 ②
06 60 cm³
07 512 cm³
08 276 cm²
09 486 cm²
10 12, 12000000
11 210 cm³
12 1048 cm²
13 15 m³
14 ⓒ, ⓒ, ⓒ
15 6, 6
16 나
17 3
18 1000 cm³
19 160 cm²
20 3750개

---

02 쌓기나무가 한 층에 3개씩 3줄이고 3층으로 쌓여 있습니다. ⇨ (부피)=3×3×3=27 (cm³)

03 1 m³=1000000 cm³ ⇨ 5 m³=5000000 cm³

04 1000000 cm³=1 m³ ⇨ 4200000 cm³=4.2 m³

05 1000000 cm³=1 m³이므로
② 90000000 cm³=90 m³

06 4×3×5=60 (cm³)

07 8×8×8=512 (cm³)

08 (7×4+10×4+7×10)×2=138×2=276 (cm²)

09 (겉넓이)=9×9×6=81×6=486 (cm²)

10 가: 3×2×2=12 (m³)
나: 300×200×200=12000000 (cm³)

11 7×5×6=210 (cm³)

12 직육면체 모양인 선물 상자의 겉넓이를 구하면 필요한 포장지의 넓이를 구할 수 있습니다.
(겉넓이)=(16×14+10×14+16×10)×2
=524×2=1048 (cm²)

13 250 cm=2.5 m, 300 cm=3 m
⇨ (부피)=2×2.5×3=15 (m³)

> 다른 풀이
> 2 m=200 cm
> ⇨ (부피)=200×250×300=15000000 (cm³)
> 15000000 cm³=15 m³

14 ⊙ 950000 cm³=0.95 m³
ⓒ 200×200×200=8000000 (cm³)=8 (m³)
ⓒ 0.9×3×0.8=2.16 (m³) ⇨ ⓒ>ⓒ>⊙

15 (5×3+5×□+3×□)×2=126,
(5×3+8×□)×2=126, 15+8×□=63,
8×□=48, □=6

16 (가의 겉넓이)=3×3×6=54 (cm²)
(나의 겉넓이)=(3×2+5×2+3×5)×2
=31×2=62 (cm²)
⇨ 54 cm²<62 cm²이므로 나의 겉넓이가 더 큽니다.

17 7×6×□=126, 42×□=126, □=126÷42,
□=3

18 한 모서리의 길이를 □ cm라 하면
□×□=100 ⇨ □=10
따라서 부피는 10×10×10=1000 (cm³)입니다.

19 높이를 □ cm라 하면
10×5×□=100, 50×□=100, □=100÷50,
□=2
따라서 겉넓이는 (10×2+5×2+10×5)×2
=80×2=160 (cm²)입니다.

20 1 m에는 20 cm를 5개 쌓을 수 있습니다.
⇨ 5 m에는 25개, 3 m에는 15개, 2 m에는 10개를 쌓을 수 있습니다.
따라서 이 창고에는 한 모서리의 길이가 20 cm인 정육면체 모양의 상자를 25×15×10=3750(개) 쌓을 수 있습니다.

189쪽   스스로 학습장

1 (1) 19000 cm²   (2) 150000 cm³   (3) 0.15 m³
2 (1) 9600 cm²   (2) 64000 cm³   (3) 0.064 m³
3 (1) 30400 cm²   (2) 320000 cm³   (3) 0.32 m³
4 (1) 11800 cm²   (2) 70000 cm³   (3) 0.07 m³

---

1 (1) (50+30+50+30)×100+(50×30)×2
=19000 (cm²)

3 (1) (3200+4000+8000)×2=30400 (cm²)
(2) 80×40×100=320000 (cm³)

4 (1) (1000+3500+1400)×2=11800 (cm²)
(2) 50×20×70=70000 (cm³)

이쯤에서
실력
체크

수학 단원평가

각종 학교 시험, 한 권으로 끝내자!
수학 단원평가
초등 1~6학년(학기별)

쪽지시험, 단원평가, 서술형 평가 등 다양한 수행평가에 맞는 최신 경향의 문제 수록
A, B, C 세 단계 난이도의 단원평가로 실력을 점검하고 부족한 부분을 빠르게 보충 가능
기본 개념 문제로 구성된 쪽지시험과 단원평가 5회분으로 확실한 단원 마무리

초등학교

학년   반   번

이름

My name~

초등학교

학년   반   번

이름